스트리트 이노베이터

스트리트
이노베이터
STREET INNOVATOR

세상을 바꾸는
플랫폼 혁신가들 이야기

조용호 지음

21세기북스

지금은 스타트업들에게 매우 흥미로운 시기입니다. 우리는 매일같이 테크숍의 현관 앞에서 신생 기업들이 생겨나는 것을 보고 있으며, 그 다음은 또 다른 무엇이 나올지 궁금해 마지 않습니다. 우리가 스타트업 기업을 소개한 이 책에 포함되어 너무도 기쁩니다. 아무쪼록 우리가 겪은 경험이 독자들에게도 도움이 되길 기원합니다.

저희 기업에 대해 좀 더 소개를 드리자면, 테크숍은 주로 멤버십을 통한 워크숍으로 알려져 있지만, 많은 사람들에게 다양한 의미로 다가서고 있습니다. 제작소이자, 학습 센터이고, 공동의 모임 장소, 예술가부터 기업인들에 이르는 모든 사람을 위한 놀이터입니다. 테크숍은 하나의 스타트업이면서 동시에, 사람들이 자신의 스타트업을 시작하는 곳입니다.

이곳에는 취미에 열심인 사람부터, 고치는 것을 좋아하는 사람, 수공품을 만드는 장인에 이르기까지, 그리고 새로운 것을 배워보고 싶은 초보자부터 비즈니스를 하려는 진지한 기업가에 이르기까지 거의 모두라 할 수 있는 다양한 유형의 회원들이 있습니다.

이전에는 아이디어가 있어도, 이것이 제품화되려면 몇 달 내지 몇 년을 기다려야 했습니다. 시제품을 만드는 과정은 비용이 많이 들 뿐만 아니라, 이전에는 소수만이 고되었던 혁신 프로세스 속에서 끈기 있게 버틸 수 있다고 여겨져 주눅들게 만드는 일이었습니다. 이제 컴퓨터를 이용한 설계 소프트웨어와 3차원 프린터를 이용해 단 하루 만에 시제품을 만들 수도 있습니다. 이렇게 해서, 아이디어는 있지만 만들어 본 경험이 전혀 없는 사람들도 매우 짧은 시간에 아이디어의 결과물을 직접 눈으로 볼 수 있습니다.

만드는 문화는 우리의 근본과 세계를 변화시키고자 하는 소망으로 되돌아가는 것입니다.

우리는 본래부터 만드는 사람들입니다. 사람들이 상점에서 물건을 고를 수 있게 되기 전부터, 우리는 단지 뭔가를 만드는 것만으로도 즐거웠습니다. 지금의 우리는 전례 없는 다양한 도구와 산업혁명의 시설들에 접근할 수 있게 됨으로써 새로운 연료를 얻은 하나의 르네상스를 목격하고 있습니다.

짐 뉴턴^{Jim Newton}, 테크숍 회장(창업자)

역사적으로 아메리카 대륙을 처음 발견한 사람은 누구일까. 초기부터 아메리카에 정착해 살던 원주민이 최초의 발견자이다. 하지만 우리 중 누구도 원주민 중 최초의 발견자를 기억하지 못한다. 그리고 해상을 주름잡던 바이킹도 아메리카 대륙의 존재에 대해 알고 있었다고 한다. 이들은 해상왕국에 더 뜻이 있었는지, 신대륙 탐험에는 적극적이지 않았나 보다. 세 번째로 아메리카 대륙을 발견한 사람은 콜럼버스다. 그의 발견 이후, 본격적으로 유럽인들의 아메리카 정착사가 시작되었다.

역사적으로 그에 대한 평가가 긍정적인 면만 있는 것은 아니다. 특히 현지 토착민들과의 관계에서 그렇다. 하지만 그가 이룬 발견이 주는 역사적 의미 자체는 평가할 만하다. 콜럼버스는 지구가 둥그렇다는 사실을 믿었고, 당시 유럽에서 아시아로 가는 동쪽 항로 말고, 새로운 서쪽 항로의 발견을 꿈꾸었다. 서쪽으로 가면 인도의 동쪽에 닿을 것이라 믿은 것이다.

그러면 콜럼버스가 그런 아이디어를 가진 최초의 사람이었을까? 당시 유럽 서쪽에 위치한 대륙의 모습이 그려져 있던 지도는 콜럼버스만의 독점적 소유물이 아니었다. 그리고 항구로 들어오는 배가 가장 높은 돛부터 보이기 시작해, 서서히 전체 모습이 드러나는 것을 보고, 지구가 둥글 것이라는 생각을 그 혼자 하지도 않았다. 아마 역사책에 기록되지 않았을 뿐이지, 수천 내지 수만 명이 했을 법한 생각에서 콜럼버스도 출발한 것이다.

콜럼버스가 신대륙을 발견한 후, 다른 많은 탐험가들이 아메리카 대륙을 탐사했고, 유럽인들의 정착으로 수십만 명이 아메리카 대륙에 새로운 터전을 마련했다. 콜럼버스가 아메리카 대륙을 밟은 유일한 유럽인은 아니었다는 이야기다. 그러면 신대륙으로의 여행을 처음 머릿속에 떠올린 사람도 아니고, 신대륙을 밟은 마지막 사람도 아닌 그가 왜 역사적으로 이름을 남기게 된 것일까. 그가 가능성을 믿고, 여러 불확실한 상황에서 포기하지 않고 실천했기 때문이라고 생각한다. 비슷한 아이디어가 있던 다른 사람들은 실천하지 않았고, 실천했더라도 지속하지 않았다. 나중에 신대륙으로 간 사람들은 개척자의 항로를 따라갔다. 콜럼버스가 감수한 불확실성과 씨름할 이유가 없었다.

항상 그렇듯이 아이디어란 일의 끝이 아닌 시작일 뿐이다. 그것이 비록 세상을 바꿀 혁신적인 아이디어라 하더라도 말이다. 또한 아무리 괜찮은 아이디어가 있다 하더라도 앉은자리에서 저절로 원하는 모습을 이룰 수는 없다. 분주하게 뛰어다니고, 때로는 좌절도 겪고, 어려움을 극복하다 보면, 어느새 본인들이 원하던 것들이 하나씩 실현된다.

전작 『플랫폼 전쟁』에서 필자는 애플, 구글, 마이크로소프트, 페이스북 등 요즈음 잘나가는 플랫폼 기업들에 대한 이야기와 그들의 전략, 웹과 모바일의 거시적 변화에 대해 이야기하였다. 이미 거인의 위치에 올라선 기업들에 대해 주로 다루면서, 한편으로는 좀 더 작은 신생기업들에 대한 이야기를 중심으로 써 봐야겠다는 막연한 생각은 하고 있었다. 『플랫폼 전쟁』을 출간하고 난 뒤 인연이 되어서 많은 분들을 마주할 기회가 있었지만, 특히 한국의 페이스북, 트위터를 꿈꾸는 스타트업 기업들에게는 그 이상이 필요했다. 그래서 미처 못 다한 이야기들이 이렇게 한 권의 책으로 다시 나오게 되매, 남다른 감회를 느낀다.

이 책은 다음과 같은 질문으로 시작하련다. 우리가 아는 혁신가들은 그냥 아이디어 혁신만으로 모든 것을 이루었을까. 만약 그렇다면, 혁신에 실패한 기업과 개인은 단순히 아이디어가 좋지 않았던 것이 주된 이유였을까. 심정적으로는 항상 그 이상이 필요하다고 생각하고 있었다. 실제로도 혁신가들에게 어떤 좌충우돌의 이야기들이 있을지가 궁금했다. 조직은 작지만, 비전은 큰 기업인들이 어떻게 맨 바닥에서 시작해서 자신들의 비전을 이루어 내었는지 그 비결을 알면 배울 만한 부분이 분명 있을 터였다.

그들의 이야기는 단순히 성공의 결과만을 담고 있지 않다. 성공 이전에 고약한 문제들을 기꺼이 풀고, 손에 손 잡고 한꺼번에 다가오는 시련을 어떻게 대했는지가 더 관심사이기도 하다. 비전을 실현하기 위한 여행에서, 부딪힌 장애물에 당당히 맞서며 나아갔기에 이들은 거리의 혁신가라고 불릴 만하다. 또한 성공과 고난을 같이 이야기하고 있기에 이노베이터들의 성공과 고난 극복기라고 부제를 달아도 좋을 듯하다.

필자는 이 책에 소개한 거리의 혁신가들을 세 번에 걸쳐, 다른 각도에서 관심 있게 살펴볼 기회가 있었다. 첫 번째는 작년 한양대학교 문화콘텐츠학과 박사과정에서 한 학기 수업을 할 때였다. 당시 '플랫폼 미디어 전략' 수업을 진행하면서 신흥 플랫폼 기업들의 사례를 케이스 스터디 형식으로 간략하게 소개하곤 했는데, 여기 소개한 여러 기업들이 포함되어 있었다. 이 책에서 거리의 혁신가로 불리는 기업들은 플랫폼 기업들이다.

두 번째로 기업들을 살펴본 시점은, 비즈니스 모델과 관련된 책을 준비하면서다. 가치명제 중심으로 기업들의 케이스를 정리하던 중, 비즈니스 모델 관련해서도 이 기업들의 흥미로운 점을 찾을 수 있었다. 또한 신기할 정도로 저자가 생각하는 가치명제에 잘 부합되었다. 거리의 혁신가들은 매우 독특한 비즈니스 모델을 자랑한다.

마지막인 세 번째로는 개인적으로 생각하던 일이 잘 진척이 안 되고, 몇 가지 방향성을 고민하던 시기를 거치면서이다. 겉으로 보기에 성공했다고 할 수 있는 신흥기업들이, 어떤 식으로 그 자리에 서게 되었는지 알고 싶은 마음이 강했다. 아이디어가 좋았거나, 남보다 빨리 실행한 것이 답이 아닐 거라는 점은 알고 있었다. 그들의 실제 이야기를 퍼즐 맞추듯이 찾아들어가면서 개인적으로도 큰 도움을 받았다. 실패를 대범하게 받아들이는 자세, 그리고 끈기와 열정을 가지고 부단히 노력하며 현재의 자리에 선 그들의 모습은 어느 다큐 영화 못지않은 감명을 주었다.

독자들은 이 책을 덮을 즈음이면, 많은 거리의 혁신가들이 본인에게 필요한 것을 만들어 보자는 단순한 생각으로 시작했음을 발견할 것이다. 타인이 이러이러한 것을 원할 것이라는 막연한 느낌과 분석보다는 자신의 내면으로부터 고객의 요구를 읽어 내는 것, 미래의 고객과 자신의 동질감을 유지하는 것이 더 강력한 힘을 발휘한다. 어찌 보면 필자에게도 이 책은 비슷한 견지에서 출발한 셈이다. 필자 내면의 독자가 꼭 알고 싶었던 거리의 혁신가들의 속 이야기를 열심히 찾다 보니, 결국 그들에 대한 책을 직접 쓰게 되었다. 전작 『플랫폼 전쟁』이 '전략' 편이었다면, 이 책은 '열정' 편에 가깝다.

7년 동안 하나의 아이디어를 꿈꾸고 준비하거나, 어린 시절 느낀 소명을 위해 아프리카로 날아가거나, 모든 이해 관계자를 만족시키는 서비스를 위해 음반 사업자와 2년간 협상을 벌이는 등 그들의 성공이 그냥 얻어진 것이 아님을 알게 될 것이다. 그렇다고 거리의 혁신가들이 곰처럼 인내심만 강할 것이라고 미리 짐작하지 마시길 바란다. 여우의 꾀와 치타의 스피드도 함께 갖추어 야생의 초원에서도 충분히 살아갈 수 있을 만큼 강하기 때문이다.

이제부터 주요 산업에서 새로 떠오르고 있는 거리의 혁신가들, 특히 그중에서도 플랫폼 비즈니스를 추구하는 신흥 플랫포머들의 이야기로 들어가 보도록 하자.

감사의 말

금번 책을 내면서 도움을 주신 분들의 이름을 언급하고 넘어가고 싶다. 우선 급하게 영어로 번역된 원고를 읽고서도 훌륭한 소갯말을 써준 테크숍의 Jim Newton, 그리고 같이 도움을 준 Liz Dietrich에게 감사의 말씀을 전한다. 그리고 각장에 들어가는 멋진 사진들을 제공하고, 본 책에도 기대 이상의 관심을 가져주신 쿼키의 Jaime Yandolino, 오픈아이데오의 Tiffany Markofsky와 Ashley, 페블 테크놀로지의 Rahul Bhagat, 에어비앤비에 소개된 멋진 숙소를 담당하는 Kerrie Wrigley에게도 감사의 말씀을 전한다.

끝으로 이 책을 내기까지 애써 주신 21세기북스 기획팀, 편집팀에 계신 분들께 감사의 말씀을 전한다. 가족의 응원은 여전히 내가 책을 붙잡고 집중할 수 있게 해 주는 힘이 되고 있다. 사랑하는 아내와 아이들에게 이 책을 바친다.

PART 1

고난을 극복하고
아이디어를
실현한 작은
거인들

01 떠오르는 거리의 혁신가들

빅 아이디어로 기존 산업에 신선한 충격을 준 신흥 플랫포머

조지 로이스는 뉴욕에서 디자인을 공부하고, 광고업계에 뛰어들었다. 그가 디자인한 《에스콰이어》의 표지 광고 중 일부는 현재 뉴욕 현대미술관에 전시되어 있다. 이전까지만 해도 잡지의 표지는 내용과 목차를 전달하는 용도였지만, 조지 로이스에 의해 설득력 있는 광고판으로 바뀌게 된다. 그의 작품은 미국 잡지편집자협회[ASME]가 선정한 2005년 가장 훌륭했던 잡지 표지 40선에 두 개의 작품이 포함되기도 했다. 두 작품에는 각각 캠벨 수프 통조림에 빠진 앤디 워홀과 여섯 개의 화살이 몸에 박힌 무하마드 알리가 등장한다. 앤디 워홀로 대표되는 팝아트의 쇠퇴와 종교적 문제로 군복무를 거부한 알리에 대한 사회적 비판을 풍자한 내용이다. 통틀어 92개가 넘게

빅 아이디어의 컨셉이 적용된 에스콰이어의 표지
이미지 출처-플리커, 원작자: t_a_i_s

작업한《에스콰이어》표지에서 그가 한결같이 추구한 것은 '빅 아이디어'였다. 그가 말한 빅 아이디어는 '말과 이미지의 대담한 조합으로 특수한 커뮤니케이션상의 문제를 해결한 후, 사람들의 눈을 사로잡고, 정신을 관통하며, 마음을 따뜻하게 해 주고, 결국 소비하게 만드는 것'이다. 좀 더 일반화하자면 '소비자의 관심을 단숨에 사로잡고, 지갑을 열게 만드는 결정적 한방을 가진 아이디어'라고 하겠다. 이러한 빅 아이디어는 광고뿐 아니라, 시장이 있는 곳이면 어디든지 적용해도 무리가 없어 보인다. 앞으로 만나게 될 거리의 혁신가들 역시 이러한 빅 아이디어를 들고 나와, 마찬가지로 소비자들에게 신선한 즐거움을 선사하고 있다.

필자의 또 다른 저서 『플랫폼 전쟁』에서는 애플, 구글, 마이크로소프트 등 큰 기업들이 플랫폼 전략을 통해서 어떻게 현재와 미래를 지배하려 하는지를 다뤘다. 그렇다고 앞의 세 기업이 마치 지구를 삼등분하여 통치하는 듯한 이미지는 오해이다. 훨씬 더 많은 기업들의 이야기가 이 세상에는 존재한다. 함께 소개된 페이스북과 트위터 같은 경우도 마찬가지다. 지금은 단기간에 성장해서 많은 회원들을 확보한 큰 기업이 되었지만, 이들도 한 손에는 피자를 들고, 나머지 한 손으로 프로그램을 짜던 당돌한 젊은이들이 일을 낸 경우다.

전통적으로 제조는 공장을 가지고 있거나, 중국 등에 위치한 외주 공장에 대량 발주가 가능한 큰 기업들의 몫이었다. 그리고 상품을 기획하고, 시제품을 내놓는 것 또한 기업이 주도하는 분야다. 이러한 오래된 고정관념에 도전하는 작은 회사들이 있다. 어떤 곳은 소비자들이 직접 발명한 아이디어를 손으로 만질 수 있는 제품으로 만들어 준다. 머릿속의 꿈을 현실로 만들어 주기에, 이 기업을 생각하면 〈찰리와 초콜릿 공장〉이라는 영화가 떠오르기도 한다.

아예 직접 와서 본인이 만들고 싶은 것을 만들 수 있도록 공장을 제공하는 곳도 있다. 그곳에 들어서면, 대기업에서나 볼 수 있는 최첨단 시설이 즐비하다. 제조에 필요한 기술들을 교육도 시켜 주고, 전문 기술진이 옆에서 코칭해 주기 때문에 어지간한 아이디어로 제품 제작이 가능하다. 이곳에서 만들어진 제품 중에는 배낭처럼 등에 메면 하늘을 날게 해 주는 제트팩부터 놀라울 정도로 빠른 오토바이까지 개인이 만들었다고 보기 힘든 것들도 많다. 또한 저개발국 유아를 위한 보온 담요 등 사회적으로 의미 있는 제품도 나오고 있다. 이런 공장이 세계 곳곳에 생긴다면, 개인 발명가들의 신 르네상스 시대가 열린다고도 볼 수 있다.

우리가 알고 있던 카드는 매장에서 주로 사용한다. 개인 간에 물건을 사고파는 곳에서는 사용할 수가 없었다. 이제 카드를 개인 간 거래에서도 사용이 가능하도록 도와주는 곳이 있다. 지갑에 넣고 다녀야 할 현금의 양은 갈수록 줄어들 것이다. 매장에서 카드로 커피한 잔을 사먹더라도, 최소한 지갑에서 카드를 꺼내서 매장 카드 단말기에 긁어야 했다. 만약 점원에게 커피를 주문하고 받아 갔는데도 고객이 지갑에서 카드를 꺼내거나, 현금을 건네지 않는다면 점원이 무언가 실수를 했다고 생각할 것이다. 하지만 결제는 눈에 보이지 않게 이루어졌다. 정상적인 상황에서도 이런 일들이 가능해지고 있으며, 자세한 것은 뒤에서 알 수 있을 것이다.

이밖에도 차를 팔고, 에너지를 제공하는 두 개의 다른 산업을 엮어서 하나의 새로운 사업모델을 만든 기업도 있다. 전기자동차는 배터리와 자동차로 이루어져 있다. 높은 배터리 가격 때문에 전기 자동차는 판매 가격이 만만치 않다. 또한 충전 시간 자체가 급속충전을 해도 두 시간을 넘어서니, 충전하다가 날 샐 걱정을 해야 한다. 하지만 잘 풀릴 것 같지 않던 이 문제도 실마리를 찾고 있다. 전통적인 자동차 산업에 휴대폰을 파는 이동통신 산업의 모델을 접목한 것이다. 실험적인 이 모델이 성공하면, 자동차 산업은 이제 새로운 단계로 변화하게 될 것이다.

그밖에도 금융, 숙박, 미디어 등에서 신선한 변화의 바람몰이를 하고 있는 거리의 혁신가들이 있다. 이들은 단순히 니치에서만 머물지 않고, 산업 자체에 변화를 초래할 수 있는 가능성을 가진 이들이다. 작지만 단단하고 강한 플랫폼이기 때문이다. 이들이 가진 새롭고 혁신적인 모델과 그 과정에서 확보하게 된 네트워크 경제의 힘은 보기보다 강력하다. 일정 시간이 지난 후에는 아마 기존 산업들이 이러한 기업들로부터 진지한 태도로 배울 수밖에 없을 것이다.

조앤 롤링의 대표작인 해리 포터 시리즈는 대단한 상상력의 세계를 보여 주었다. 해리 포터는 2편에 해당하는 '비밀의 방'에서 투명잉크로 글이 적힌 종이를 발견한다. 단서가 있지만, 도무지 보이지 않는 상황이었다. 우연히 특수한 마법의 주문을 외우자, 종이 위에 중요한 단서가 되는 단어들이 하나씩 나타난다. 만약 이러한 주문이 실재한다면, 우리는 좀 더 중요하고 숨겨진 기회들을 먼저 찾아서 현실에 활용할 수 있을 것이다. 굳이 비밀의 방 안이 아니어도, 기회의 영역이라는 것은 항상 여러 곳에 잠재해 있다. 특히 세상에 큰 변화의 물결이 일렁이면, 안 보이던 그 기회의 틈들이 오롯하게 나타난다. 자신을 알아보고 찾아줄 누군가를 기다리듯이 말이다. 영국의 작가인 제임스 앨런은 "발견이란 모두가 보는 것을 보면서, 아무도 생각한 바 없는 것을 생각하는 것이다"라고 이야기한 바 있다. 이들의 이야기를 살피다 보면, 무엇인가 기회를 발견한 사람들은 어느 정도 준비가 된 상태이다. 발견도 준비된 자에게만 드러난다. 마치

HP창업자 휴렛과 패커드가 함께 작업한 창고
이미지 출처—플리커, 원작자: donjd2

지도 위에 보물위치가 투명한 잉크로 적혀 있어서 보이지 않다가,
해리 포터가 주문을 외우자 선명하게 나타났던 것처럼 말이다.

기회들은 겉보기에 촌스럽고 별 볼 일 없어 보일지 모르지만, 열
정 하나만큼은 똘똘 뭉친 사람들의 몫이 되기도 한다. 특히 그중에
는 성공하기 전에는, 전혀 이 세상의 무대에서 알려지지 않던 이들
조차도 흔하다. 기회를 발견하고, 아이디어를 세우고, 이를 특유의
뚝심과 지혜로 실현해 나가는 모습은 신화의 일부를 닮았다. 거대한
타이탄족에 맞선 아테네의 젊은 신들, 운명을 개척한 그들이 떠오른
다. 넓게 보면 기존의 방식에 젖어 있던 산업 자체가 아테네 신들의

도전을 받는 타이탄이라고 볼 수 있겠다. 어쩌면 아테네의 젊은 신들이 뛰어오는 바람소리를 전통방식에 사로잡힌 사람들은 듣지 못할 수도 있다. 보고자 하는 것만 보이는 것이 인간의 특성이기 때문이다. 또한 젊은 신들의 발걸음이 너무 가벼워 알아채기 어렵거나, 때론 좌충우돌하는 모양새를 우습다고만 판단할 수도 있다.

우리가 그들에게 배울 것은 여러 가지가 있을 것이다. 많은 사람들이 흔히 저지르는 실수는 드러난 결과만을 참고하려는 것이다. 오히려 겉으로 보이는 성과보다는 과정, 또는 밑바탕에 깔린 정신이 더 중요한 역할을 한다. 여기서도 성과를 벤치마킹하기보다는 거리의 혁신가들의 승부하는 정신과 지치지 않는 열정을 살피는 것이 더 의미 있는 일이 될 것이다. 그 과정에서 독자들은 이들이 세상에 내놓은 참신한 아이디어와 이것이 산업에 미치는 영향들을 같이 조망하는 즐거움을 느낄 수 있을 것이다.

그들은 어떻게 시장에 신선한 바람을 일으켰을까

약 10여 년 전에, 한 뉴욕 칼럼니스트가 마이크로소프트의 빌 게이츠 회장에게 질문했다. "가장 두려운 것이 있다면 무엇입니까?" 기업시장의 경쟁자인 오라클이나 개인용 컴퓨터 시장의 축소 등과 같은 답변이 나올 것 같았지만, 빌 게이츠는 의외의 답을 한다. "지금 이 시간 누군가 지하실이나 차고에서 전혀 새로운 무언가를 개발하고 있지 않을까 두렵군요. 그것이 제게는 가장 큰 악몽입니다." 무소불위의 산업 지배력을 가지고 있는 기업의 성공한 사업가인 빌 게이츠가 두려워하는 것이 고작 '차고 속의 두 젊은이$^{\text{Two guys in Garage}}$'였다니. 물론 그 시기에 실제로 구글이라는 회사가 실리콘밸리 한쪽에서 막 생겨나고 있었다는 우연은 잘 알려진 사실이다.

그러면 왜 빌 게이츠 회장은 기존 시장의 경쟁자가 아닌, 반딧불이처럼 작은 기업을 경계했던 걸까. 이미 큰 기업들은 자신의 제품과 서비스를 팔기 위한 방안에 맞게 최적화되어 있다고 볼 수 있다. 이런 결과로 기업들은 자신을 중심으로 하나의 가치 네트워크를 형성한다. 책을 만들어서 파는 경우에도, 책을 기획·출판하는 회사, 온라인·오프라인 유통 서점도 가치 네트워크에 속한다. 또한 책의 독자층과 책 주제와 관련된 커뮤니티도 또한 중요한 가치 네트워크 상의 일원이다. 이러한 가치 네트워크가 원활하게 연결되어 있어야 하나의 사업이 완성도 있게 구축되었다고 볼 수 있다.

『성공기업의 딜레마』를 저술한 클레이튼 크리스텐센 교수는 혁신 기업들이 보유한 이러한 가치 네트워크가 결국, 기업을 실패에 이르게 할 수 있다고 경고한다. 가치 네트워크는 하나의 체계와 사람, 사업모델 등 여러 가지를 포괄하고 있다. 기업의 틀에서는 필요하고 도움이 되지만, 새로운 혁신으로 뛰어들 때는 발목을 잡는 걸림돌이 되는 것이다. 새로운 벤처기업들이 기회의 틈이 없어 보이는 상황에서도, 항상 하늘 높이 날아오르는 이유가 여기에 있다고 하겠다. 새로운 방식을 도입하는 데서 버릴 것이 많은 기업들은 어떤 식으로든 기존 방식으로 경쟁하려고 한다. 이러한 경쟁 방식 또는 싸움을 벌일 전선 자체가 새로 이동하게 되면, 그때는 기업들의 가치 네트워크가 새로 재구성되어야 한다. 해당 과정을 신속하게 적극적인 방식으로 전환하지 못한 기업은 도태되고 만다.

한 소년이 고속도로에서 자동차 사고를 당한 후 의식을 잃은 채로 병원에 실려 왔다. 같이 차에 타고 운전하던 아버지는 안타깝게도 현장에서 사망했다. 병원에서 수술실로 들어가기 전에 환자를 살피던 담당 의사는 깜짝 놀라서 소리친다. "이 아이는 바로 제 아들입니다." 사고로 죽었다던 아버지 말고 다른 아버지가 있단 말인가. 이미 잘 알려진 이 이야기의 해답은 고정관념에 있다. 담당 의사는 소년의 엄마였다. 보통 의사는 남자라는 선입견 때문에 사람들은 이 이야기를 들으면 왜 아버지가 둘이나 되지, 하며 혼란스러워한다. 한국의 막장 드라마에서나 가능할 뿐, 아버지가 둘인 상황이 일반적인 이야기는 아니지 않은가.

이렇게 사람들이 가진 고정관념은 신생 기업들에게는 중요한 기회가 된다. 고정관념을 깨는 아이디어를 가지고 나오면, 확실한 차별화가 되기 때문이다. 대부분의 시장이 고정관념 위에 세워져 있으므로 이를 깨는 방식으로는 경쟁자가 거의 없는 시장을 차지하게 된다. 또한 기존의 성공한 큰 기업들 역시 이런 오래된 틀 위에 모든 사업기반을 다졌으므로 신생 기업의 방식을 뒤따르는 것이 의외로 힘들다. 기업 활동을 위해 확보한 자원이 무용해지고, 비즈니스 모델 충돌이 발생하기도 한다.

델^{Dell}이 세계 최초로 주문 조립 방식으로 컴퓨터를 팔기 시작했던 것도 예가 될 수 있다. 컴퓨터는 일반 직영 대리점이나 양판점을 통해서 판매하던 것을 인터넷으로 바꿨다. 또한 미리 만들어놓고, 재고를 보유해야 배송에 문제가 없다고 생각했던 고정관념을 선주문-후생산 방식으로 깨뜨렸다.

최근 뜨고 있는 개인들의 집이나 자동차 등 자산을 공유하는 방식도 우리의 고정관념을 깨는 것이다. 얼굴 한 번 대면한 적 없는 사람들에게, 방 한 칸 또는 타던 자동차를 며칠씩 빌려 주는 행위는 거래 당사자 모두 꺼릴 만한 이유가 있다. 강도나 도난의 위험이 존재하는 것이다. 기존에는 거래 비용 또한 만만치 않았다. 방을 일 년 단위로 빌려 주는 임대사업이나 여행지에서 며칠간 차를 대여하는 전문회사와 달리 개인 간에 짧은 거래를 중개하는 것의 단위 비용이 평균적으로 더 높았기 때문이다. 하지만 소셜 네트워크를 통해 안전성을 강화하고, 모바일과 인터넷을 통해 거래 비용을 획기적으로 낮출 수 있게 되었다. 이전에는 무시될 만한 기회가 어느새 개인 간 서비스 거래의 황금시장으로 바뀌고 있다고 하겠다.

나이키의 경쟁자는 닌텐도라는 이야기가 있다. 리모컨을 들고 체감형 운동 게임을 즐기는 아이들이 늘어나 집에서 게임을 하는 시간이 늘면, 야외활동이 줄어들 테니 결과적으로 나이키 운동화의 판매가 줄 것이라는 논리다. 이를 반대로 이야기하자면, 닌텐도가 기존의 게임 산업 경쟁자가 아닌 나이키를 경쟁자로 삼았다고 볼 수 있다.

실제로 수익악화로 골머리를 앓고 있던 상황에서 게임기 성능 경쟁에 한참 뒤처진 닌텐도가 내놓은 회심의 반격 카드는 가족용 체감 게임이었다. 게임기 성능이 경쟁의 법칙이 되던 시장에서 몸동작을 이용해 게임을 하는 휴먼 인터페이스를 경쟁법칙으로 새롭게 재정의했다. 기존 시장 경쟁의 룰을 뒤집었기 때문에, 한참 앞서 가던 소니와 같은 경쟁자는 다시 돌아와 닌텐도가 가는 흐름을 한참 쫓아야 했다.

거리의 혁신가들 또한 기존의 방식에 연연하지 않는다. 경쟁자 또한 같은 시장 범주 안에 있는 것으로 한정하지 않고, 좀 더 넓게 보려는 경향이 있다. 음악 산업에서 영향력을 넓혀 가고 있는 스포티파이^{Spotify} 같은 기업의 경우 음악 스트리밍 서비스를 제공한다. 소비자들은 불법 복제 음악을 사용하려는 유혹에 노출되어 있다. 불법 복제 음악의 유일한 단점은 양심에 걸린다는 것 외에도, 인터넷을 통해 다운로드 해서 쓰는 것이 편하지 않다는 점이다. 스포티파이는 그래서 불법 복제 음악 사이트를 경쟁사로 규정하고, 이들보다 훨씬 편하고 빠른 방법으로 음악을 제공하는 것을 목표로 정했다. 스트리밍이지만, 마치 하드디스크에 음악이 담겨 있는 것처럼 재생이 빨리 이루어지는 것도 이런 이유다.

사회적 인지도가 있는 유명 인사나 블로거를 통해서만 상품을 추천하고 판매하는 오픈스카이^{Opensky}의 경우도 일반적인 쇼핑몰과는 다르다. 제품 자체보다는 이를 추천하는 사람의 인지도가 구매에 더 영향을 미친다. 이것과 비슷한 경쟁사는 무엇일까. 바로 연예인 등을 활용해서 텔레비전 광고 등을 시행하는 광고 대행사가 아닐까. 대기업들의 브랜드 제품과 달리 인지도가 상대적으로 약한 제품들은 유명 인사들의 추천에 목말라 있다. 그래서 광고비를 내고 텔레

비전, 라디오 등의 매체를 타려고 한다. 오픈스카이는 광고비를 받는 대신, 판매된 제품에 대해 충분한 마진을 확보할 수 있는 입장에 있는 것이다.

이렇게 기존 기업들이 보유한 가치 네트워크상의 전략적 취약점, 그리고 시장과 경쟁자에 대한 고정관념을 깸으로써 거리의 혁신가들은 기회를 잡게 된다. 여기서 아이디어와 기회의 포착은 여전히 시작에 해당한다. 당연히 남이 가 보지 않은 길이기에 앞이 보이지 않고, 더 힘들 수밖에 없다. 구체적인 실현 과정이 결국 혁신가들을 빛나게 한다.

성공은 앉은자리에서 얻어지지 않았다

모리스 마테를링크가 지은 동화 파랑새 이야기에서 치르치르와 미치르는 파랑새를 찾기 위한 여행을 떠난다. 요술할멈이 집에 찾아와 아픈 딸을 위해 파랑새를 찾아 달라고 부탁했기 때문이다. 파랑새를 찾아 험난한 여정을 거치고 나서, 그들은 결국 빈손으로 집으로 돌아온다. 그런데 집에서 키우던 새가 그토록 애타게 찾던 파랑새임을 알게 된다. 보통 이 유명한 동화는 소중한 것을 멀리서 찾지 말라는 교훈으로 자주 인용된다.

하지만 파랑새 이야기는 다르게도 해석이 가능하다고 생각한다. 만약 동화 속 주인공들이 파랑새를 찾기 위한 긴 여행을 다녀오지 않았다면, 집에 있는 평범한 멧비둘기로 알던 새가 파랑새임을 발견할 수 있었을까. 파랑새임을 알게 되었다 하더라도, 여행 전후에 느끼는 소중함은 하늘과 땅 차이가 있을 것이다. 파랑새의 재발견은 결국 주인공들이 험난한 여정 속에서 겪은 경험으로 인해 가능했고, 빛을 발한다는 생각이다.

미국 텍사스 주에 살던 어린 소녀 도로시가 주인공으로 나오는 오즈의 마법사에서도 약간 비슷한 상황이 재연된다. 도로시는 어느 날 커다란 회오리바람에 날려서 오즈의 나라로 가게 된다. 도로시를 싣고 날아간 집에 깔린 동쪽 마녀의 은빛 구두를 얻어, 이것을 신고 자신이 집으로 돌아갈 수 있게 도와줄 오즈의 마법사에게로 간다. 그 과정에서 지혜로운 허수아비, 마음씨 좋은 양철 인형, 겁 많은 사자를 동행으로 만난다.

서쪽 마녀를 무찌르면 집으로 돌아갈 수 있을 것으로 알았지만 약속은 지켜지지 않고, 마지막 집으로 갈 수 있는 수단인 하늘을 나는 기구마저 타지 못하게 된다. 이 상황에 기운이 빠져 있던 도로시에게 남쪽 마녀가 도움을 준다. 도로시가 신고 있는 은빛 구두는 마법이 걸려 있어, 뒷굽을 세 번 마주 치면 원하는 곳으로 데려다 준다는 것이다. 결국 도로시는 집으로 무사히 돌아가고, 모험도 막이 내린다.

만약 도로시가 은빛 구두를 얻은 시점에 마법을 다루는 법을 알았다면 어땠을까. 아마 바로 집으로 돌아갔을 것이고, 모험은 없었을 것이다. 도로시가 모험에서 얻은 경험과 교훈, 동료들과의 추억 또한 마찬가지다. 집에 돌아가는 것이 서쪽 마녀를 물리치기 위한 모험의 동기는 됐지만, 도로시는 그러한 과정에서 성장했다. 그래서 바로 돌아가는 것보다는 모험을 떠난 것이, 도로시 자신에게도, 관객에게도 다행인 선택이었다. 목적달성 자체도 중요하지만, 사람을 성장하게 만드는 것은 여정에 있다.

아프리카 등에서 생업 목적으로 사업을 시작하는 사람들을 돕는 키바Kiva.org를 만들기 전부터 창업자는 자선에 대한 많은 관심을 가지고 있었다. 나중에 계기가 되어 아프리카에 방문하여 현지의 사람들을 만나면서, 본인이 나아가야 할 방향에 대해서 어느 정도 확신을 하게 된다. 미국으로 돌아와서도 키바를 만들기까지 법률 검토, 팀을 짜는 문제 등 여러 가지 풀어야 할 숙제가 많았다. 특히 아프리카 현지에서 키바와 협업할 금융조직을 발굴해야 했기 때문에, 단순한 인터넷 벤처와는 다른 의미에서 험난한 길을 걸었다.

하지만 그녀는 저개발 국가의 가난한 사람들이 가난으로부터 일어서는 것을 돕고 싶어했고, 그러한 소명 의식이 아프리카로 그녀를 이끌었다. 그곳에서 본격적으로 키바의 여정이 시작되었다. 아마 아프리카 여행을 떠나지 않았다면, 저개발국과 선진국의 사람들을 연결하는 자선 네트워크인 키바는 탄생하지 못했을 것이다. 그녀 역시 일반적인 자선 프로그램에 기부하며, 소명 의식을 달래고 있었을지 모른다. 값진 여정이 가치 있는 사회 프로그램을 낳은 것이다.

세상을 바꿀 전기 차 충전소 사업을 계획한 다른 창업자는 이 사업이 민간 차원에서만 움직여서는 불가능함을 깨닫는다. 전기를 공급해 줄 수 있는 발전시설부터 에너지 산업 관련 규제에 이르기까지 정부의 지원이 필수였다. 그래서 그는 꼼꼼히 적은 사업계획서를 주요 국가의 정부에 보낸다. 그중 한 군데와 연락이 되어, 대통령과 총리를 만나고, 여기서부터 문제의 실마리를 찾는다. 나중에는 전기차를 만들어 줄 파트너가 필요해서 전 세계의 주요 자동차 회사들과 접촉한다.

자료조사와 사업계획서는 누구나 쓸 수 있다. 하지만 본격적인 여정의 시작은 그다음부터다. 앉은자리에서 아이디어가 실현되는 경우는 거의 없다. 비록 모험을 떠나고 험난한 여정을 거쳐서 되돌아와 보니 허무함을 느낄 수도 있다. 애초부터 찾아다니던 파랑새가 집에 있었고, 은빛 구두의 마법으로 집에 돌아갈 수 있음을 알았을 때처럼 말이다. 하지만 여정 자체가 보상이 될 수 있다. 또한 여정을 통하지 않았으면 파랑새와 은빛 구두의 가치도 분명 반감되었을 것이다.

파울루 코엘류가 쓴 『연금술사』라는 제목의 소설에서, 주인공은 꿈에서 계시를 받고 보물이 있다고 믿어지는 이집트로 떠난다. 여러 가지 험난한 모험을 겪고, 이집트에 도착했지만 막상 어디에 보물이 묻혀 있는지는 모르는 상태다. 사막의 피라미드를 바라보며 감격의 눈물을 흘리다가, 그 자리에 풍뎅이가 지나가는 것을 보았다. 이집트에서는 풍뎅이가 신의 상징이기 때문에, 이 또한 계시로 받아들이고 열심히 땅을 파기 시작한다. 하지만 갑자기 나타난 무장한 병사들에게 잡히고, 죽을 수도 있는 시점에서 그는 자신의 여행 이야기를 그들에게 한다. 그리고 병사들의 우두머리에게서 놀라운 사실을 듣게 된다. 그 우두머리도 비슷한 꿈의 계시를 받았지만, 장소는 전혀 달랐다. 바로 이집트가 아닌 주인공이 살던 마을이었다. 결국 보물은 이집트가 아닌 주인공의 집 근처에 있었지만, 모험을 통해서 그 사실을 알게 된 것이다.

『연금술사』는 파랑새 이야기와 결말은 비슷하지만, 사실은 다른 교훈을 말하고 있다. 이처럼 주변에 보물이 있다 하더라도, 여정을 떠나지 않았다면, 보물이 있었다는 사실과 그 가치를 몰랐을 것이다. 거리의 혁신가들 역시 앉은자리에서 성공하지 않았다. 그들은 모험과 여정을 떠나고, 시장에서 고객 또는 경쟁자와 부딪치면서 독특한 아이디어를 실현시켜 나갔다.

02 거리의 혁신가가 이겨 내야 하는 시간들

막막한 상황에서 세상을 바꿀 아이디어를 찾는 시간

국내 TV에서 방영된 교양 다큐멘터리 중에 '문명과 수학'이라는 프로그램이 있다. 수학의 역사를 거슬러 올라가면서, 여러 가지 다양한 상식과 수의 발명자들을 소개해서 흥미롭게 보았다. 여기서 나오는 내용 중에 0의 발견에 대한 내용이 있다. 우리에게 너무도 편하게 받아들여져서, 그것이 누군가에 의해 만들어진 것이라고 생각지 못하는 것들이 많다. 종이컵, 자동차 바퀴, 전화, 투표제도 등이 그와 같은 경우다. 0 또한 대표적으로 발명된 경우이다. 왜냐하면 실제 세계에서는 0이라는 숫자는 없기 때문이다. 이것은 동양사상에서 이야기하는 아무것도 없이 비어 있는 상태와 닮았다. 그래서인지 서양보다는 동양, 그중에서도 인도에서 0이 발명되었다고 한다.

0이라는 개념이 만들어지기 전에는 자릿수의 개념이 없었다. 그래서 존 판던이 지은 『오! 이것이 아이디어다』라는 책에 의하면, 고대 이집트에선 999라는 숫자를 적으려면 나선 모양, 거꾸로 된 U자, 위로 선 막대 모양을 모두 합쳐 27개의 기호가 필요했다고 한다. '문명과 수학' 프로그램에 의하면 인도의 수학자이자 철학자인 브라만 부타가 숫자가 왜 1부터 9까지밖에 없을까 하는 의문에서 출발하여 0을 발견했다. 나중에 이것이 유럽 등에도 전해지면서, 세계 과학 발전에 크게 기여하게 된다.

0의 발견만큼 대단하진 않을 수 있지만, 새로 만들어지는 기업들은 세상을 바꿀 만한 아이디어를 찾으려 노력한다. 이전에는 새로운 기술을 만든 발명가들이 기업을 만든다는 관념들이 있었던 것 같다. 하지만 현실에서 발명가들이 꼭 성공한 기업가로 된다는 보장은 없다. 자원이 많지 않은 스타트업 기업의 입장에서는 시장을 너무 앞서가는 기술로는 시장이 성숙할 때까지 시간을 벌기 어렵기 때문이다.

오히려 개인이나 기업들이 당면한 문제에 관심을 기울이고, 이러한 문제해결이 가능토록 하는 제안을 실현하는 것이 좀 더 성공의 길에 가깝다. 그러한 과정에서 적절하게 응용기술을 활용할 줄 알고, 적은 자원으로 인맥, 파트너십, 투자 등의 징검다리를 건너면서 조그만 돛단배로 대서양을 건널 수 있는 마음가짐이 필요한 것이다. 스타트업 기업은 상용화를 목표로 해야 하기 때문에, 발명에 올인하는 것은 어찌 보면 위험한 태도라고도 하겠다.

보통 아이디어를 구상한 후 팀을 만드는 경우와 팀을 만든 후 아이디어를 짜는 경우로 나뉜다. 어느 경우나 손에 잡히는 아이디어가 나오기 전까지는 초조하고, 막막한 순간일 것이다. 막상 세상을 상대로 대담한 일을 벌여보려는 경우, 비슷한 아이디어를 가진 미래의 경쟁자에게 선수를 뺏길 것 같은 조바심이 들기도 한다. 그래서 수시로 팀원 간에 의견을 나누고 사무실, 아파트 또는 사람으로 북적이는 카페에 모여서 아이디어 회의를 반복한다.

이미 기반을 잡은 회사에서 신규 사업을 준비하는 것과 달리 완전히 새로운 회사를 만드는 경우, 시간은 흘러가는데 아직 방향조차 잡지 못하고 허비하는 시간은 넘어야 할 산 중에 하나이다. 소명은 있으되, 정확히 무엇을 해야 할지 모르거나 무엇을 해야겠다는 감은 오는데, 정확히 어떻게 풀어나가야 할지는 모르는 식이다.

여기서 소개되는 거리의 혁신가들은 자신의 경험, 주변 관찰에서 이러한 아이디어를 얻었다. 막상 스스로가 필요해서 만들 생각을 하게 되는 경우도 여럿 있었다. 고객의 입장에서 출발하니, 새로운 아이디어가 일반인에게도 공감을 준다. 또한 혼자서 하룻밤 만에 아이디어를 만들기보다는 팀과의 잦은 의견 교환과 관련 분야에 있고, 영감을 주는 사람들의 이야기를 경청함으로써 성공적 아이디어에 한 발 더 다가섰다.

아이디어가 모든 것을 해결해 주지는 않지만, 좋은 아이디어를 기반으로 시작하는 것은 차별화를 위해서 도움이 된다. 보물지도가 하나 있다고 치면, 아이디어란 보물의 위치를 일러주는 표식이다. 그렇다면 보물은 무엇일까. 아이디어의 주 고객층, 또는 그들이 모이는 시장이 될 것이다.

실행을 위해 자금과 팀을 모아야 하는 시간

아메리카 대륙은 역사적으로 세 번 발견되었다. 현지 원주민에 의해 최초로 발견되고, 그 다음은 바이킹에 의해서다. 마지막으로 콜럼버스에 의해 발견되면서, 본격적으로 유럽인들의 아메리카 대륙 정착이 시작된다. 이미 잘 알려져 있다시피, 그가 발견하고자 한 것은 인도였다. 죽을 때까지도 그는 자신이 발견한 대륙을 인도라고 믿었다.

콜럼버스는 어린 시절부터 탐험가로 성공하는 꿈을 꾸었다고 한다. 마침 그에게는 좋은 사업계획이 있었다. 아시아로 가는 다른 항로를 개척하는 것이었다. 당시만 해도 인도가 있는 아시아로 가기 위해 유럽의 동쪽 항로를 이용했다. 또한 유럽의 서쪽바다 끝은 낭떠러지라는 믿음이 있었다. 지구가 둥글다고 믿던 콜럼버스는 금은보화와 향신료의 중요한 항로가 될 서쪽 항로를 발견한 최초의 탐험가가 되길 원했다.

그는 세 척의 배에 음식을 가득 채우고 서쪽으로 4000킬로미터 정도만 항해하면 인도의 동쪽에 닿을 것으로 생각했다. 유럽 국가의 지원을 받아야 이 모든 여행이 가능함을 잘 알고 있었다. 그가 인도의 동쪽을 발견하게 되면 지원한 국가의 영토가 된다. 단, 영토는 그가 다스리고, 국가가 걷는 세금의 일부도 그의 소유가 될 것이다. 여기까지가 콜럼버스의 사업모델이었다. 그는 본격적으로 자금과 팀 (선원)을 모으기 위해 1485년경 포르투갈 왕실에 먼저 사업계획서를 냈다. 몇 가지 이유로 협상이 지지부진한 가운데, 다른 탐험가가 아프리카 항로를 개척했다는 소식이 들렸다. 이로써 포르투갈은 굳이 콜럼버스의 새 항로에 관심을 가질 이유가 없었다. 그 후에도 그는 이탈리아, 영국 등의 왕실에 사업계획을 계속 제출했지만 모두 거절 당하고 만다. 그 당시의 기준으로는 성공 가능성이 높지 않아 보였나 보다.

스페인의 경우에도 처음 접촉했을 때 이자벨 여왕의 승인을 얻었기에 희망적이었다. 하지만 여왕의 자문단에서 탐험 계획에 대해 부정적인 견해를 낸다. 아시아에 도달하기까지의 거리가 콜럼버스의 계산보다 훨씬 더 멀다고 본 것이다. 콜럼버스는 포기하지 않고 스페인과의 협상을 지속한다. 그리고 약 5년 후인 1492년에 최종 승인을 얻고 세 척의 배와 72명의 선원을 태우고 출항할 수 있었다.

이상의 이야기를 종합해 보면, 콜럼버스는 새로운 아시아 항로개척이라는 비전을 품고 사업계획서를 만들었다. 투자자를 유럽 국가의 왕실로 보고, 새로운 미개척지를 찾을 경우, 투자자와 수익을 나누는 사업모델 또한 구상한다. 하지만 그의 비전은 아프리카 항로라는 경쟁자의 출현에 의해 위기를 맞는다. 또한 사업계획 자체도 투자자가 보기에 너무 낙관적이고, 비현실적이라고 평가되었다. 그래서 1485년에 포르투갈 왕실을 만난 때부터 1492년 스페인 왕실의 지원을 받아 마침내 바다에 세 척의 배를 띄우기까지 7년의 세월이 걸렸다.

스페인 바르셀로나에 있는 콜럼버스 기념상
이미지 출처-플리커, 원작자: mariosp

　스타트업 기업들이 하려는 프로젝트라고 해서 반드시 콜럼버스의 새로운 아시아 항로 개척만큼 어려운 설득과정을 필요로 하는 것은 아닐 것이다. 최근에는 소규모 팀도 지혜로운 방식만 찾으면, 이전에는 대기업이나 할 수 있던 일들을 얼마든지 벌일 수 있게 되었다. 하지만 일정 수준 이상의 규모를 갖추어야 하고, 자금과 사람이 필요한 경우에는 자원과 역량을 확보하기 위한 준비과정 자체도 넘어야 할 산이 될 것이다.

　특히 콜럼버스가 지원을 받기 어려웠던 이유가, 남이 가지 않은 서쪽 항로를 가려 했다는 점은 시사하는 바가 있다. 거리의 혁신가들 역시, 다른 사람들이 가지 않은 길을 가려 하는 경우가 많기 때문이다. 그럴 경우 기존의 상식에 의하면 제3자가 보기에 사업계획서는 비현실적으로 보이고, 모든 것이 불확실성 속에 있는 것처럼 느껴진다. 이러한 과정에서 어떻게든 주변을 설득하고, 제품이나 서비스의 제작 과정에서 팀원들을 하나의 비전으로 규합하는 숙제를 풀어야 한다.

이 책에서 소개될 거리의 혁신가들은 주로 작게 시작하고, 고객의 반응을 토대로 사업을 지속적으로 개선시켜 나갔다. 그리고 투자를 받기 이전에 그들의 손에는 지구는 둥글다 또는 배 세 척으로 두 달 정도면 당도한다는 등의 실제 데이터를 확보한 경우가 많다. 시장에 어떤 식으로든 접촉해 보고, 사업계획서상의 가설이 줄어든 단계이기 때문에 투자자도 새로운 방식에 대해서 나름의 긍정적인 평가를 내린다고 하겠다.

시장에 제품을 내놓은 후, 자신감을 잃어 가는 시간

배를 띄우고 본격적으로 대서양을 건너기 시작했지만, 콜럼버스가 이끄는 선단이 순탄하게 육지를 발견한 것은 아니다. 그는 바람 방향을 타기 위해서 스페인에서 남쪽으로 카나리아 제도를 거친 후 서쪽으로 가기로 결정한다. 남쪽까지는 문제없이 잘 갔지만, 카나리아 제도에 이르는 동안 세 척의 배 중 하나가 너무 느려서, 나머지 두 척의 배와 보조를 못 맞췄다. 또한 어떤 배는 방향을 잡는 데 쓰는 키가 작동하지 않더니, 며칠 만에 부러지고 말았다. 콜럼버스는 느린 배에는 좀 더 속도가 나는 사각 돛을 달고, 키는 새로 수리하도록 한다.

그리고 스페인에서 멀어질수록 커지는 선원들의 불안감을 줄이기 위해, 항해일지에 이동한 거리를 줄여서 적기 시작한다. 서쪽으로 배가 이동할수록, 지구의 낭떠러지에 가까이 가고 있다는 두려움이 선원들을 압박했다. 육지가 그리워진 선원들은 해조류가 떠다니는 바다를 지나거나, 수평선에 길게 걸쳐 있는 구름을 보면서 육지 근처에 왔다고 착각하기도 한다. 계속해서 육지가 나타나지 않으니 결국 선원들은 폭동을 일으키기 직전에 이른다. 한 무리가 직접 콜럼버스에게 몰려가 뱃머리를 스페인으로 돌리자고 요구했다. 콜럼버스는 거의 목적지에 다 왔다는 이야기로 간신히 상황을 무마한다.

그리고 이틀 후, 바다에 들어선 지 두 달이 지난 10월 12일 새벽에 육지를 발견한다. 이곳이 지금의 바하마 군도다. 고생 끝에 당도한 이곳을 콜럼버스는 '산살바도르(성스러운 구세주)'라고 명명했다. 아마 육지를 발견하는 데 더 오랜 시간이 걸렸다면, 선원들의 폭동에 대처하기 힘들었을지도 모르는 일이다.

콜럼버스는 사업계획서를 만들 때, 서쪽 항로를 통해 인도에 도달하기까지 1년 정도 걸릴 것으로 생각했다. 그의 사업계획을 비판하던 사람들은 짧아야 3년 정도 걸릴 것이라고 주장했다. 실제로 그는 유럽과 아시아의 중간에 버티고 있던 아메리카 대륙에 도달했기 때문에 그보다 훨씬 짧은 두 달 만에 육지를 밟을 수 있었다. 그럼에도 불구하고, 안전한 유럽 땅에서 멀어진다는 것에 대한 선원들의 불안

감, 계속된 육지 발견에 대한 기대와 실망이 교차하면서 탐험은 점차 위기로 빠져 들게 된다.

현실에서도 계획대로 되는 일 자체가 많지는 않다. 원래 계획이란 것 자체가 가설을 기반으로, 일을 준비하는 사람의 의지를 표현한 것이기 때문이다. 대부분의 경우 시시각각 변하는 미래의 상황변수를 반영하는 것 자체가 불가능하다. 이런 이유로 계획된 방향으로 가면 나올 것으로 기대했던 보물이 바로 모습을 드러내는 경우는 별로 없다. 좀 더 가 봐야 진퇴를 결정할 수 있는 상황이거나, 때론 전혀 예상치 못한 낯선 곳에 다다르기도 한다. 최초의 계획 또는 기대와 맞지 않는 현실에 부딪혔을 때의 대처법이 사실 이 단계에서 가장 필요한 부분일 것이다.

스타트업 기업으로 따지면, 자금과 팀을 모은 후 한껏 기대를 가지고 제품과 서비스를 출시했지만, 사람들의 무관심에 직면했을 때의 당황스러움이 이런 경우일 것이다. 기업의 본질 중 하나가 제품을 만들어 파는 것인데, 당연히 무엇인가 만들 때는 이 제품을 사줄 고객들이 충분히 많다고 가정한다. 나름대로 합리적인 근거를 가지고 제품 생산을 시작하지만, 결과는 누구도 장담할 수 없다. 실제로 고객이 있는지는 오로지 시장에서 결정되기 때문이다.

이런 상황에서는 계획에 어떤 오류가 있었는지, 문제를 찾고 다시 개선해 나가는 적극적인 자세가 매우 필요하다. 콜럼버스와 함께 배를 타고 갔던 선원들이 몇 번 육지에 대한 기대감이 꺾이면서 탐험에 대한 의지가 흔들렸던 상황도, 스타트업 기업에게 그대로 재연될 수 있다. 이럴 때는 비전과 이를 이루고자 하는 신념이 모든 구성원에게 공유되는 것이 필요하다. 더불어서 작은 실패를 기꺼이 받아들이는 자세도 함께 갖추어야 한다.

거리의 혁신가들은 여정에서 만나는 첫 실패에 주저앉지 않는다. 그것이 회복될 수 있는 수준이라면, 오히려 빠른 실패가 더 좋은 약이 될 수도 있다. 잘못 계획한 여정을 서둘러 바로 잡을 수 있기 때문이다. 그래서 실패를 받아들이는 태도 역시 중요하다. 평범한 사람이 비행기 일등석에서 옆자리에 앉은 리처드 브랜슨 회장을 만난 실화를 바탕으로 한 소설 『밀리언 달러 티켓』에서도 성공을 실패와 실패 사이에 존재하는 것으로 정의한다. 경기의 챔피언은 시합 중에 상대방이 날린 펀치에 하나도 맞지 않는 것으로 가리지 않는다. 마지막 라운드까지 쓰러지지 않는 사람이 챔피언이 되는 것이다.

시장에서 성공을 거두는 듯싶은 시점에, 어김없이 오는 위기의 시간

산살바도르를 기점으로 콜럼버스는 원주민들과 접촉하고, 금과 재물이 될 만한 것들을 찾기 시작한다. 그러던 중 세 척의 배 중 가장 빠른 배를 지휘하던 마르틴 핀손에게 배신을 당한다. 핀손은 원주민들에게 들은 이야기를 토대로 금은보화가 있을 것으로 추정되는 섬을 향해 따로 움직이기로 한 것이다. 엎친 데 덮친 격으로 콜럼버스가 선장으로 있던 모선인 산타마리아호에 구멍이 나서, 급기야 배를 버리는 일까지 발생한다.

이제 스페인으로 돌아갈 수 있는 배는 하나밖에 남지 않은 상황이었다. 콜럼버스는 육지 위에 정착촌을 짓게 하여 배에 타지 못하는 선원들이 육지에 남을 수 있도록 조치한다. 그리고 재물과 원주민 몇 명을 배에 태우고 스페인으로 금의환향한다. 앞서 콜럼버스를 배신한 핀손이 먼저 도착해 있는 상태였지만, 다행히 스페인 여왕은 콜럼버스를 기다리고 있었다. 여기서 그는 새로 발견한 땅에 대한 부왕의 지위를 다시금 약속받는다.

작은 성공 후에는 항상 또 다른 차원의 넘어야 할 위기가 오게 마련이다. 콜럼버스의 경우 배에 구멍이 나는 사고와, 핀손 선장의 배신이 위기를 불렀다. 스타트업 기업과 같은 경우 위기는 보다 다양한 방식으로 찾아온다. 가장 흔한 경우가 사업모델 자체에 존재하는 구조적인 위험요인이 현실화된 케이스일 것이다.

예를 들어, 천 번 거래에 한 번꼴로 불량고객이 물을 흐리는 경우가 있다고 치자. 고객 수가 적고, 거래 건수가 적을 경우에는 거의 드러나지 않던 문제가 일정 수준 이상 사업이 규모의 성장을 하게 되면 불거지게 된다. 특히 이때는 초반의 얼리어댑터에 해당하는 열정적 고객들만 있는 것이 아니다. 스타트업 기업이 제공하는 서비스에 문제가 있으면, 바로 다른 대안을 찾을 준비가 되어 있는 고객들이 다수를 차지하게 된다. 이런 순간의 위기는 앞서 성공적으로 목적지에 도달하기 위해 겪어야 하는 시련과는 조금 특징이 다르다. 작은 성공에서 큰 성공으로 넘어가기 위해서는 이런 위기를 극복함과 동시에, 지속적으로 관리할 수 있어야 한다.

그리고 자신을 모방하는 경쟁자들도 예상해야 한다. 잘나가던 스타벅스가 비교적 최근에 위기에 빠진 적이 있었다. 스타벅스는 바리스타가 맛있는 커피를 내려 주고, 커뮤니티 공간으로서 편하게 교류할 수 있는 특징이 있었다. 카페 자체의 용도를 재발견한 것이 스타벅스의 혁신성이었다. 하지만 매장이 세계 곳곳에 들어서고, 커피머신과 음악 CD 플레이로 전반적인 경험의 질이 떨어지기 시작했다. 특히 경쟁자들이 스타벅스만의 강점마저 모방하면서 위기가 찾아들었다. 나중에 커피 맛을 다시 좋게 하기 위해, 바리스타 교육 캠페인을 한 것이 좋은 효과를 보았다. 또한 유럽에서 유행하는 캡슐형 커피를 내놓는 등 다시 시장을 선도하기 위해 노력하고 있다.

콜럼버스가 첫 번째 항해를 마치고 스페인으로 귀환하자 많은 귀족들이 그의 성공을 질투했다고 한다. 한 연회파티에서는 "다른 사람이 서쪽으로 갔더라도, 마찬가지로 새로운 땅을 발견할 수 있었던 것 아니냐"는 질문을 받는다. 콜럼버스는 달걀을 하나 꺼내 보이며, 그것을 세워 보도록 요구한다. 많은 사람이 시도했지만 해답을 찾지 못하고 있을 때, 콜럼버스는 계란 밑을 살짝 깨트려 세운다. '콜럼버스의 달걀'로 알려진 유명한 일화다. 콜럼버스는 자신의 업적도 달걀을 세운 것과 같다고 말한다. 일단 누군가 한 번 가능성을 증명한 후에 그것을 모방하기는 쉽다. 하지만 처음으로 그 일을 해 내는 것이 진정 어려운 것이라는 의미일 것이다.

PART 2

제조 분야의 신흥
플랫포머

제조 분야를 떠올리면, 커다란 공장과 분주하게 돌아가는 기계들이 먼저 떠오른다. 산업시대에 들어와서는 장치 산업이 되어 버린 탓에, 제조업은 작은 기업들에게는 상대적으로 진입장벽이 높은 시장이었다. 특히 개인들이 상품을 직접 제조한다는 것은 일부 수공예품이나 DIY 상품이 아닌 이상 불가능하거나, 경제적이지 못한 일이라는 통념이 있었다.

이런 곳에서 기회를 발견한 기업들이 점차 무대 위로 올라오고 있다. 뒤에 소개할 쿼키^{Quirky}와 테크숍^{TechShop}이 그런 기업들 중 대표 선수급에 속한다. 제조 관련한 거리의 혁신가들이 주로 애용하는 방법은 대량생산 이전 단계까지의 제조 활동에 참여하는 것이다. 대량생산으로 넘어가면, 이미 작은 기업이 주도할 수 있는 비즈니스가 아니기 쉽다. 또한 해당 부분은 이미 중국, 인도 등에 아웃소싱할 수 있는 좋은 방법들이 개발되어 있다.

대신에 거리의 혁신가들은 소비자 참여를 통한 제품 개발 프로세스를 만들어서, 신제품 기획 및 디자인에 소비자의 힘을 활용한다. 또한 가격이 많이 내려간 설계 툴과 시제품 제작 도구들을 활용하여, 빠르게 저렴하게 아이디어를 직접 눈으로 보고, 만질 수 있는 단계로 진전시킨다.

앞으로 이런 기업들은 신新 가내수공업 시대를 여는 촉매제가 될 것이다.

01 전 국민 아이디어 공작소, 쿼키Quirky

영희 양은 집으로 배달된 택배상자를 부리나케 열어 보았다. 그 안에는 뱀처럼 구부러지는 신기한 모양의 콘센트가 들어 있었다. 불과 한 달 전에 영희 양이 생각해 낸 아이디어가 벌써 제품으로 나온 것이다. 이 제품은 콘센트에 먼저 꽂은 전원 코드가 다른 구멍을 가려서 생기는 불편을 없앨 수 있다. 공간적인 문제 때문에 콘센트 구멍을 허비하는 일은 이제 더 이상 없을 것이다. 더 좋은 일은 앞으로 이 제품이 팔리는 대로 영희 양의 통장에는 수익금의 일부가 쌓여 갈 것이라는 사실이다. 아이디어 하나만 있었을 뿐, 디자이너도 공장도 없었던 영희 양에게 어떻게 이런 일이 가능했을까?

고교 시절부터 시작된 사업에 대한 겁 없는 열정

누군가 아이디어만 가지고 있다면, 이를 대신 만들어 주는 꿈의 공장이 있다고 하자. 앞서 예로 든 멀티콘센트처럼 반짝 떠오르는 아이디어가 있는 경우 대부분의 사람들은 이것이 충분한 해결책인지 알고 싶어한다. 또한 직접 제품으로 만들 능력이 없는 경우가 태반이다. 그렇다면 꿈의 공장은 이런 반짝하는 아이디어들을 모으고, 소비자들의 의견을 추가해서, 신제품을 만들어 주면 될 것이다. 바로 미국의 겁 없는 20대가 만든 기업 '쿼키^{Quirky}'의 서비스는 사람들의 아이디어를 두 달 내에 매장에서 팔리는 제품으로 만들어 주는 사업을 하고 있다.

벤 코프먼은 고등학교 시절부터 사업을 시작한 특이한 경력을 가지고 있다. 학교 수업중에 선생님 몰래 음악을 듣고 싶다는 생각과 무엇인가 만들어 보고 싶다는 열정이 만나 꽤 근사해 보이는 아이팟용 헤드폰 아이디어가 떠올랐다. 당시 부모님이 집을 담보로 해서 만들어 준 2억 원가량의 돈을 들고, 중국으로 건너가서 아이팟 셔플용 액세서리를 제작한다. 아이팟 셔플의 경우 목걸이 줄과 헤드폰 줄이 따로 있어 불편하고, 보기에도 거추장스러워 보였다. 송슬링^{Song Sling}은 이러한 점을 개선하고, 좀 더 스타일 넘치게 만든 제품이었다. 이 제품을 판매하기 위해 벤 코프먼은 모피^{Morphie}라는 회사까지 만들었다. 이후 몇 가지 후속 제품까지 히트시키면서 회사는 유명세를 타고, 2007년에 성공적으로 다른 곳에 매각된다.

아이팟 케이스의 전시회 출시 중에 얻은 통찰

모피를 매각하기 전, 벤 코프먼은 맥월드 박람회에 참가한다. 여기서 일루미네이터 프로젝트를 진행하는데, 여러 사람들과 함께 아이디어를 내서 3일 안에 애플 제품용 액세서리를 만드는 행사였다. 당시 모피 전시관에 들른 사람이 3만 명이 넘을 정도로 인기가 많았다. 일단 사람들이 아이디어를 적어 내면, 이를 맥월드 관람객과 홈페이지 방문자들이 참여하는 인기투표에 붙였다. 최종 선정된 아이디어를 제품으로 만들기 위해 모피의 디자인팀도 팔을 걷어 부쳤다. 첫 번째 선정된 영예를 안은 사람은 캘리포니아에서 온 열일곱 살 학생이었다. 그가 낸 아이디어는 베비^{Bevy}라는 애칭을 가진 실제 제품으로 탄생했다. 열쇠고리에 병따개 기능까지 포함된 아이팟 셔플용 케이스였다. 음악에 목말라하는 고객에게는 스위스산 다용도 칼처럼 쓸모가 많을 것 같다. 베비는 다섯 가지 색상으로 만들어져, 유통매장을 통해 15달러에 판매되었다.

베비를 만드는 과정에서 벤 코프먼이 알게 된 것은 여러 사람들의 집단적 의견 교환을 통해, 새로운 제품을 만든다는 것이 실제로 가능하다는 사실이었다. "우리가 원하는 것은 사용자들이 콘텐츠를 직접 만들듯이, 이제 제품도 그렇게 만들도록 하는 겁니다." 〈기즈맥〉과의 인터뷰에서 벤 코프먼은 판매하는 제품 하나하나보다 제품을 개발하는 전체 프로세스가 더 중요하다는 견해를 밝힌다.

왼쪽 위에서부터 시계방향으로, 제품 디자인에 대해서 미팅 중인 쿼키 디자인팀, 주마다 열리는 제품 토론회, 즙을 짜지 않고 뿌리는 주방기구인 스템, (Stem) 휘어지는 전기 코드 (PivotPower) 이미지 출처-쿼키에서 제공(Image courtesy of Quirky)

하지만 시장에 필요한 것은 솔루션이 아니었다

모피를 매각한 후 벤 코프먼은 클러스터^{Kluster}라는 회사를 만들었다. 클러스터는 여러 사람들의 집단 참여를 감안한 제품 개발 프로세스를 구현한 서비스였다. 기업들이 제품 아이디어를 구하는 등의 질문을 올리면, 회원들이 수많은 아이디어를 올리고, 최종적으로 선정된 아이디어에 상금을 주는 방식이다. 회원들은 아이디어를 내거나, 활발히 참여하면 포인트를 얻는다. 베팅한 아이디어가 최종 선정되면, 더 많은 포인트를 얻을 수도 있다. 물론 베팅에 실패하면 포인트를 잃는다.

벤 코프먼은 국내에서도 유명해진 테드^{TED} 컨퍼런스에도 연사로 나가서 서비스를 홍보하는 등, 적극적으로 사업을 추진했다. 하지만 당장 눈에 띄는 성과가 나오진 않았다. 시장에 비슷한 서비스를 제공하는 회사들이 이미 있었던 것도 원인 중에 하나다. 대기업인 P&G가 스폰서로 있는 이노센티브나 벤처캐피털과 연계되어 있는 벤코프 등도 유사한 서비스를 제공하고 있었다.

벤 코프먼은 클러스터를 솔루션의 형태로도 판매하려고 시도했다. 기업들은 자신이 보유한 소비자 커뮤니티를 대상으로 이 솔루션을 활용할 수 있다. 일반적 의사결정 과정에 집단지성을 활용한다는 나름 참신했던 이 솔루션도 예상보다는 기업 수요가 많지 않았던 것 같다. 흥미롭게도 이 솔루션을 활용한 가장 성공한 사례가 바로 쿼키다. 기업시장이 아닌 소비재 시장에 답이 있다고 보고, 집단지성을 활용한 제품 개발 회사를 직접 만들기로 결정한 것이다. 형식상으로는 쿼키가 클러스터를 인수한 것으로 되었지만, 실제로는 클러스터가 쿼키의 전신이었다고 볼 수 있다.

사람들의 아이디어, 쿼키의 제품으로 변신하다

맥월드 행사에서 일루미네이터 프로젝트를 통해 일반인이 낸 아이디어로 아이팟 케이스가 만들어진 이야기는 앞서 언급했다. 벤 코프먼이 모피라는 회사를 매각하고, 클러스터를 만든 것도 이 프로젝트 당시 얻은 경험 때문이었다. 새로 만들어진 쿼키 서비스는 오히려 클러스터에 비해 훨씬 더 일루미네이터 프로젝트에 가까운 형태로 준비되었다. 아이디어를 소비자로부터 받은 후, 직접 쿼키의 디자인

팀에서 제품을 개발해 주는 방식으로 바뀐 것이다. 사흘 간 진행했던 일루미네이터 프로젝트 자체가 아예 회사의 지속적인 사업모델이 되었다.

사람들이 올리는 아이디어에 대해서도 특별한 제한을 두지 않았다. 단, 제작비용이 너무 높지 않아야 하고, 일반 매장에서 판매할 수 있는 생활용품 중심의 소비재를 선호한다는 가이드라인 정도가 전부이다.

2011년 말 기준으로 쿼키의 회원은 12만 명을 넘어섰고, 한 주에 두 개 이상의 발명 아이디어가 제품으로 탄생하고 있다. 쿼키를 파악하기 위해서는 전반적 프로세스에 대한 이해가 필요하다.

만약 당신에게 좋은 발명 아이디어가 하나 떠올랐다고 하자. 어서 굉장한 아이디어를 제품으로 만들고 싶다면, 쿼키 사이트를 열고 1만 2000원을 결제한 후 아이디어를 등록한다. 아이디어 등록자가 돈까지 내는 경우는 일반적으로 특이한 케이스라고 볼 수 있다. 쿼키에서는 질 낮은 아이디어들이 많이 올라오면, 사용자들의 참여에 나쁜 영향을 줄 수 있다고 보고 있다. 그래서 성의 있는 아이디어 위주로 거르기 위해서 최소 등록비용을 받는 것이다.

사이트에 올려진 아이디어는 12만 명이 넘는 회원들의 선호 여부 및 개선 의견을 받아서 약 한 달 정도 커뮤니티에 의한 평가에 들어간다. 그 후에는 배턴을 쿼키 내의 디자인 및 기술팀이 이어받는다. 커뮤니티 평가가 좋은 아이디어를 일주일에 두 개씩 선정하여, 구체적인 상품 디자인에 들어간다.

쿼키의 특이한 점이 바로 이렇게 내부 실무 조직을 활용하여 실제로 팔릴 수 있는 수준으로 제품 디자인을 진행한다는 부분이다. 컴퓨터로 디자인된 설계도는 3차원 이미지로 렌더링된다. 회원들은 이런 이미지를 통해서 제품이 어떻게 디자인될지에 대해 눈으로 보고 확인할 수 있다. 나중에 제품 생산에 들어가려고 하면, 컴퓨터로 설계된 파일을 중국에 있는 외주 공장에 보낸다. 컴퓨터 기반 제조기술과 생산능력만 갖추고 있으면 얼마든지 외주처를 확대할 수 있는 구조다.

앞서 쿼키 팀이 디자인한 시제품은 사이트를 통해 회원들에게 소개되며, 제품이 마음에 드는 회원들은 예약 주문을 걸 수 있다. 예약 주문을 하더라도 바로 생산에 들어가는 것은 아니다. 공장에 발주를 하기 위해서는 500개든 1000개든 최소 예약 주문이 확보되어야 한다. 상품화 가능한 최소한도의 소비자 지지가 있을 때만 제품을 출시하는 '집단 소비자 약속'을 구현한 사례라고 하겠다. 예약 주문은 초도 생산까지만 이루어지며, 일단 중국 공장에서 주형을 뜨고 신상품에 대한 대량생산 체계를 갖추게 되면, 이후부터는 쿼키 사이트 내의 쇼핑몰을 통해서 언제든지 구매가 가능해진다.

당신이 발명한 아이디어가 제품으로 판매된다면, 제품 매출의 최대 30%까지 당신 몫이다. 실제로 돌아오는 몫은 그보다는 적은데, 그 이유는 아이디어 개발 과정에 기여한 커뮤니티 회원들에게도 수익이 돌아가야 하기 때문이다. 제품 하나당 이런 식으로 수익을 나누어 받는 사람들이 평균 1200명가량 된다고 한다. 가히 수익 배분

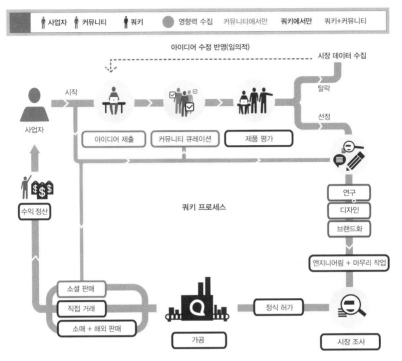

아이디어 수정 반영(임의적)   시장 데이터 수집

시작   탈락

선정

사업자   아이디어 제출   커뮤니티 큐레이션   제품 평가

수익 정산   쿼키 프로세스   연구 / 디자인 / 브랜드화

엔지니어링 + 마무리 작업

소셜 판매 / 직접 거래 / 소매 + 해외 판매   가공   정식 허가   시장 조사

쿼키의 제품 개발 프로세스

의 투명성에서 만큼은 기록적이라고 할 수 있을 것 같다. 쿼키가 설립된 후, 최초의 제품이자 구부러지는 콘센트인 피봇 파워의 발명자인 제이크 지엔의 경우 제품 출시 후 첫 주에 올린 수익이 3000만 원이 넘었다고 한다. 이런 스타 발명자의 성공 스토리가 쿼키 성장의 주요 동력이 되고 있다.

　쿼키는 2011년 말 기준으로 매달 전월 대비 평균 20%가량 회원이 증가하고 있으며, 매출은 100억 원가량 될 것으로 보고 있다. 또한 비교적 최근에는 성장 가능성을 인정받아 150억 원가량의 벤처 투자금을 유치하였다.

쿼키의 소셜 제품 개발 과정은 아이디어를 사이트에 등록한 시점부터 한두 달 내에 제품을 매장의 진열대 위에 올려놓는 것을 목표로 하고 있다. 제품 개발부터 디자인과 설계, 생산, 유통라인까지 전 과정을 직접 관리하면서 일주일에 두 개씩 신제품을 내놓는데도, 100명이 채 안 되는 직원들이 그 일을 해낸다. 모든 사람이 위험부담 없이, 즉각적인 보상을 받으면서 기업가가 될 수 있는 방법을 제공하는 쿼키는 '혁신을 위한 카탈리스트(촉매제)'라는 비전에 완벽히 부합되는 움직임을 보여 주고 있다.

쿼키에서
얻은
교훈!

　　이름부터가 특이해서, 한 번 들으면 꽤 오래 기억되는 쿼키는 소셜 제품 개발 플랫폼이라는 영역을 성공적으로 개척한 사례이다. 일반인들의 아이디어를 토대로 매주 두 가지의 신상품을, 한두 달 만에 매장에서 판매될 수 있는 형태로 만들어 내는 쿼키의 저력은 어디서 나오는 걸까? 창업자인 벤 코프먼은 본인 스스로도 개인 발명가이다. 부모님에게 자금을 빌려 만든 아이팟용 헤드폰도 고등학생의 실력이라고는 믿기 어려울 정도로, 훌륭한 아이디어와 디자인을 바탕으로 했다. 그래서 많은 사람들이 그가 만든 모피Morphie라는 회사 이름은 한 번쯤 들어 보았을 성싶다.

　쿼키에 대한 이야기를 위해 자료를 수집하면서, 여전히 발명을 즐기는 그의 모습을 확인할 수 있었다. 쿼키에 개인들이 올린 아이디어에 사람들이 여러 가지 의견을 낼 때, 벤 코프먼도 같이 의견을 올리곤 한다. 또한 상품화 대상으로 선정된 아이디어의 디자인을 구상할 때도, 디자인팀과의 토론에 열성적으로 참여하는 듯이 보인다. 발명 자체가 즐겁고, 발명 아이디어를 가진 사람들과 대화하는 것을 즐기는 창업자의 모습에서 쿼키가 성공할 수 있는 문화적 바탕을 느낄 수 있었다.

그래서 쿼키에서 배울 점을 한 문장으로 굳이 줄인다면, 자기가 좋아하는 일을 성공할 수 있는 방식으로 하라는 것이다. 좋아하는 일을 그냥 취미로만 묵힐 수도 있다. 그 역시 발명은 취미로 하고 평범하게 직장인으로서의 삶을 살 수도 있었을 것이다. 그러나 아이팟이 출시되고, 액세서리 시장이 눈에 보이자, 고등학교 시절임에도 불구하고 과감하게 사업에 뛰어든다. 물론 부모님의 전폭적인 지원이 없었다면, 쉽지 않은 일이었을 것이다.

나중에 집단지성을 활용한 제품 개발 프로세스의 가능성을 깨닫고 두 번째 사업을 시작하지만, 기업들의 문제를 일반인들의 지혜를 빌려서 푸는 서비스는 사실 그에게 완전히 어울리는 일은 아니었다고 여겨진다. 그러한 성격의 서비스는 정책 공모 수준의 제안이나 전문가 정도 되어야 풀 수 있는 과학적인 해법을 요구하기도 한다. 소비재 시장을 대상으로 한 제품 발명에 관심이 있던 창업자에게는 매력적인 사업이 되기에 무언가 부족한 점이 있어 보인다.

반드시 이런 이유 때문이라고만 생각할 수 없지만, 클러스터에서의 부진이 다시금 창업자에게 맞는 방향을 찾게 해 준 것 같다. 바로 개인 발명가들을 위한 플랫폼 서비스 영역의 발견을 통해서 말이다. 사회 곳곳에 있는 개인 발명가들의 꿈을 실현시켜 주고, 창업자 자신도 발명가 또는 개선 의견을 내며 제품 개발에 참여할 수 있게 되었다. 좋아하는 일과 하고 있는 일이 별로 구분되지 않는 기분 좋은 상태인 것이다.

쿼키의 프로세스를 들여다보면, 소셜 제품 개발의 방식에 대한 고민을 통해 최적화한 부분이 많이 눈에 띈다. 예를 들어 남들과 달리 아이디어 등록 대금을 받는다거나, 최종 아이디어 선정 및 제품 디자인은 쿼키 팀에서 직접 하거나, 최초로 제품 생산 이전에 사전 주문을 받는 점 등이 그렇다. 또한 아이디어를 낸 발명자뿐만 아니라, 좋은 의견을 낸 사람들, 사전 주문을 한 사람들이 모두 판매 수익의 일부를 가져가는 방식도 훌륭하다. 좋아하는 일을 성공할 수 있는 방식으로 제대로 추진하고 있다고 여겨진다.

두 번째 교훈은 당시에는 작았던 일들이 모여, 나중에 큰일을 가능하게 한다는 것이다. 결과적으로 우리가 작다고 생각한 일들이 모여야 세상을 놀라게 할 큰일을 벌일 수 있다. 현재의 쿼키를 가능하게 한 것을 세 가지 든다면, 창업자의 발명가적 기질과 맥월드 박람회에서 진행한 일루미네이터 프로젝트, 그리고 클러스터 당시 확보한 집단지성 기반 솔루션을 들 수 있다.

특히 사흘 동안 수많은 일반 소비자들의 참여를 통해 액세서리 제품에 대한 아이디어를 얻고, 이를 바로 제품화한 경험이 굉장한 영향을 미쳤다고 할 수 있다. 아마 해당 프로젝트는 전시 기간 중에 방문객들의 참여를 유도하기 위한 마케팅 이벤트로 기획되었을 것이다. 그런데 소비자의 아이디어를 제품화한 경험 자체가 기대를 뛰어넘는 수준이었다. 그래서 우연히 발견하게 된 통찰이 모피라는 회사를 매각하고, 클러스터를 만드는 데 직접적인 영향을 주었을 것으로 보인다.

두 번째 회사인 클러스터를 만든 후에 바로 큰 성과를 거두지는 못했지만, 여기서 확보한 회원들과 집단지성 기반 협업 솔루션은 쿼키를 만드는 데 중요한 역할을 했다. 결국 하나 하나 보면, 현재의 위치와 일대일 상응하지는 않지만, 전체를 놓고 보면 지나왔던 여정이 현재를 만들었다고 볼 수 있다. 아마 그러한 여정 없이 단숨에 쿼키라는 서비스를 내놓았다면, 지금처럼 탄탄한 내공을 바탕으로 한 서비스는 불가능했을 것이다.

따로 놓고 보면 당시만 해도 별것 아닌 것처럼 보이던 일들이, 나중에 보면 하나의 실타래로 엮어서 새로운 모습을 만들어 내는 것은 굳이 기업의 사례가 아니라도, 인생 역시 마찬가지가 아닐까 한다. 쿼키의 사례를 비추어 보면, 작았던 일이 나중에 하나로 모이기 위해, 발명에 대한 창업자의 열정이 어느 정도 일관되게 작용했다고 생각된다. 결국 전체 보석을 꿰는 실과 같은 역할을 하는 것은 개인의 열정이 가리키는 방향 자체라고 여겨진다.

스스로 발명 아이디어로 제품을 만들어 사업을 하다가, 이제는 개인 발명가들의 아이디어를 제품으로 만들어 주는 플랫폼을 운영하는 쿼키 창업자의 이야기는 과거의 자신을 도울 수 있는 방법을 미래의 내가 찾은 것과 같다. 그래서 아마 쿼키의 성장은 꽤 오래가리라고 생각할 수밖에 없다. 핵심 고객인 개인 발명가들이 느끼고 필요한 점을 가장 잘 알 수 있는 입장이었고, 이제 그들을 돕는 위치에 올바로 있기 때문이다. 그렇다면 과거, 또는 현재의 나의 입장에 있는 사람들을 도울 수 있는 미래의 나를 만들어 보는 것은 어떨까. 지금의 내가 핵심 고객이 되는 서비스나 제품을 가장 잘 만들 수 있는 사람은 나 자신일 것이다. 스스로 내면에 잠재한 요구를 관찰하고, 또 다른 나를 위한 이타적 관점에서 한번 고민해 보는 시간도 좋을 듯하다.

02 가내수공업의 부활을 꿈꾸는 공장, 테크숍TechShop

철수 씨는 요즘 열 살 된 딸에게 줄 깜짝 선물을 하나 준비 중이다. 세상에서 단 하나뿐인 핸드폰 케이스를 직접 만들어 보려고 한다. 플라스틱을 쓰면서도 건강에 좋은 편백나무를 앞뒤 면에 붙이면 근사한 모양이 나올 것 같다. 디자인을 해 본 경험은 약간 있지만, 막상 케이스를 직접 만들려고 하니, 걸리는 일이 한두 가지가 아니다. 혹시 괜한 일을 벌인 것은 아닌지 고민이다. 그로부터 한 달 후, 철수 씨는 회심의 미소를 지으며 딸의 생일파티 때 '아빠표' 핸드폰 케이스를 선물할 수 있었다. 가족과 주변 친척들의 반응도 너무 좋아, 케이스를 쇼핑몰에 한번 팔아 보라고까지 한다. 철수 씨도 부업거리가 하나 생길 것 같아서 긍정적으로 생각 중이다. 제품 아이디어만 있던 철수 씨가 어떻게 핸드폰 케이스를 직접 만들고, 제품화까지 자신하게 되었을까?

발명가가 직접 지어 올린 열린 공장

과거 산업시대 이전에는 가내수공업이 발달했었다. 집에서 간단한 생산 장비를 이용하여 제품을 만들고, 이를 시장에 내다 파는 다품종 소량생산의 시대였던 것이다. 산업시대를 거치면서 대형화된 생산시설과 특정 작업에 전문화된 인력들을 통해 소품종 대량생산의 시대가 열렸다. 일반인들에게는 무엇인가 만들기 위해 쇠를 깎거나 플라스틱의 주형을 뜨는 작업 자체가 비용과 전문 지식 문제로 접근하기 어려웠다. 이런 상황에서 일반인들을 위한 열린 공장을 표방하는 회사가 출현했다. 바로 미국 서부에서 처음 문을 연 테크숍^{TechShop}이다.

테크숍은 2006년 말 짐 뉴튼과 리지 맥퀴가 설립했다. 짐 뉴튼 자신도 평소 200여 개가 넘는 아이디어를 가지고 있었으며, 텔레비전에 방송되는 과학 프로그램인 '미스버스터^{Mythbusters}'에도 한 해 동안 과학 자문으로 고정 출현하는 등 발명에 조예가 깊었다. 학교에서 학생들과 대화하던 중, 미국의 제조업과 상품 제조의 수준이 중국에 밀리는 상황에 대해 이야기를 나누면서 제조업에 관심을 가지게 되었는데, 그 자신도 만들고 싶은 '전자시계' 아이디어가 있었다. 여기서부터 테크숍의 초기 사업구상이 시작되었다. 이후 과거에 제본과 프린터 시설 임대 사업체였던 킨코스에서 컴퓨터 서비스 부문 이사로 근무했던 마크 해치를 대표이사로 영입하게 된다.

실리콘밸리의 중심가인 먼로 파크에서 처음 문을 열었을 당시에만 해도 18개월 동안 임대를 통해 시험적으로 사업을 시작하는 수준이었다. 설립 초기에 테크숍은 지역사회의 기부금을 모아 출발했다. 당시 캠페인을 통해서 3000만 원을 성공적으로 모을 수 있었다. 현재는 플라스틱과 철 등의 재료를 팔거나, 회원들로부터 월간, 연간 회비를 받아 장비 대여 및 기술 교육을 함으로써 운영 수익을 확보하고 있다.

포틀랜드 공장의 폐쇄로 알게 된 사실

테크숍은 샌프란시스코를 중심으로 오픈했던 공장들이 성공을 거두면서, 대상 지역을 확대한다. 이때 노스캐롤라이나와 오리건 주에 생겨난 테크숍은 직영이 아닌, 공동 파트너십으로 설립되었다. 여기서 파트너십이란 테크숍의 로고를 사용할 수 있고, 운영과 관련된 노하우를 전수하는 것으로, 실질적인 경영 책임은 현지 파트너가 지는 방식이다. 프랜차이즈 방식과 유사하다.

오리건 주의 포틀랜드에 2009년 4월에 세워진 테크숍은 건물 규모도 상당하고, 〈보잉보잉〉에서도 취재를 나올 만큼 세간의 관심을 받았었다. 하지만 포틀랜드의 테크숍은 1년 후에 공장 임차료를 내지 못하고 파산신청을 하게 된다. 파산의 가장 큰 원인은 현금흐름이 안 좋아졌기 때문이다. 오리건 지역은 전통적으로 직접 만들어 쓰는 DIY 문화가 발달한 곳이라고 한다. 그래서 테크숍 수준의 설비는 아니지만, 워크숍을 할 만한 곳들이 이미 있었다는 견해가 있다. 또는 샌프란시스코 등 테크숍이 초기에 성공한 지역에 비해, 상대적으로 기업가 정신을 가진 벤처들의 수가 적어서 수요 자체가 탄탄하지 않았다고 한다. 너무 크고 임대료가 비싼 공장을 사용 중인 상태에서 수요가 탄탄하지 못했고, 결정적으로 오픈 이후에 미국 내 금융위기가 찾아왔다. 울고 싶은데 뺨 때려 준 격이다.

비슷한 시기에 경영 위기를 맞았던 노스캐롤라이나 주의 더럼에 있던 테크숍은 다행히 파산까지 가지는 않았다. 좀 더 비용을 낮출 수 있는 위치로 옮겨서 위기를 넘기는 데 성공했다. 테크숍에서 가장 비용이 들어가는 부분은 공장이 서 있는 땅과 시설 임차료일 것이다. 거의 매월 고정적으로 나가는 비용임에도, 수요가 충분치 않으면 사업모델 자체가 성립되지 않는다. 테크숍의 경영진들은 이 경험으로부터 파트너십 모델의 취약점이 무엇인지 배웠을 것이다. 본점이 경영 측면에서 해 볼 수 있는 일들이 많지 않다는 것이 가장 큰 문제다. 커뮤니티를 중심으로 성장할 수밖에 없는 테크숍의 특성상 경영철학이 테크숍 운영에 많은 영향을 미칠 수밖에 없다.

그래서 포틀랜드에 있던 테크숍이 파산한 이후로는 직영 체제로만 사업을 확장하는 것으로 방침을 세웠다고 한다. 각 지역에 들어갈 때도 지역 투자가들로부터 자금을 유치하고, 비교적 저리의 이자를 상환하는 방식 등을 고려하고 있는 것으로 보인다. 테크숍의 사업 특성상, 투자가에게는 무료 멤버십을 제공하는 등의 방법도 가능할 것이다.

결국 프랜차이즈 방식의 지역 파트너십의 실험은 그다지 좋은 성과를 못 냈고, 이를 통해서 무엇을 하지 말아야 하는지를 배웠다. 또한 어느 지역에 테크숍을 세우든 본사의 경영이 영향력을 가져야 한다는 교훈을 얻었을 것이다.

스타벅스에서 먹는 커피 값으로 바꿀 수 있는 것

샌프란시스코에도 몇 개의 테크숍이 들어섰고, 이후 디트로이트의 시내 중심가 인근에도 공장이 들어섰다. 처음 샌프란시스코에 들어선 테크숍의 경우 3층 건물로 구성되어 있다. 1층에는 제품 생산용 설비들이 비치되어 있고, 2층에는 사람들이 아이디어를 교환하거나 컨퍼런스를 열 수 있는 공간이 있다. 3층으로 올라가면, 제품을 디자인할 수 있는 캐드 시스템이 갖춰져 있다.

테크숍은 월 12만 원(100달러)만 지불하면, 누구나 최첨단 생산시설을 이용할 수 있다. 아이디어만 가지고 있다면, 테크숍이 보유한 전문가들이 설비를 이용하는 방법을 교육해 주고, 제품을 만들기 위해 필요한 기술이나 사람들을 소개해 주기도 한다. 기업이 아닌 일반 개인이 발명품을 직접 만들 수 있는 손쉬운 길이 열린 것이다.

테크숍이 나름의 명성을 가지는 이유는 이곳에 있는 설비들이 상당히 고가의 최첨단 설비이기 때문이다. 레이저 커팅기부터 입체 스캐너, 3D 프린터, 전 기능이 탑재된 오토캐드 설계 시스템 등 모두 대기업에서나 보던 것이다. 이곳에서 캐드 시스템을 통해 설계한 작업물을 3D 프린터로 보내면, 플라스틱을 잉크처럼 분사하여 그럴듯한 시제품을 만들어 낸다. 복잡도에 따라 차이는 있지만, 보통은 장비 사용에 대한 교육을 3주 정도 받고 난 후 2개월 정도면 대략 본인들이 원하는 시제품은 만들어 낼 수 있다고 한다.

CEO인 마크 해치는 2011년에 개최된 오토데스크^{Autodesk}사의 관련 행사에서 "스타벅스 중독에 쓰이는 커피 값이면, 당신은 세상을 바꿀 수 있다"고 주장했다. 또한 미국에만도 4000만 명에 이르는 창의적인 사람들이 존재하고 있으며, 그들이 텔레비전 보는 시간을 조금 줄이고 좀 더 창의적인 활동에 힘을 쓴다면 사회가 훨씬 더 발전할 것이라고 말했다. 오픈 이노베이션을 통해서 일어나는 혁신들이 정말로 그의 주장대로 핵폭탄급의 사회적 변화를 가져올 것인지는 차차 알 수 있을 것이다.

대나무 태블릿 케이스부터 제트팩까지

테크숍을 이용하여 성공에 이른 유명한 사례 중의 하나가 도도케이스^{DODOcase}이다. 도도케이스는 대나무를 깎아서 만든 아이패드용 케이스로 시작했다. 2010년 1월 아이패드가 공식 발표되고, 제품 출시까지 석 달 정도 남은 시기에, 당시 스물여덟 살이던 패트릭 버클리는 새로운 디자인의 아이패드 케이스를 구상하게 된다. 그가 생각한 것은 아이패드를 손에 집었을 때, 마치 책처럼 보이도록 하는 디자인이었다. 별도의 작업실이 없었던 탓에, 제작 방법을 알아보던 중 테크숍을 찾게 되었고, 이곳에서 도도케이스의 시제품을 만들 수 있었다. 약 3주가량 설비 사용법 등에 대한 기술 교육을 이수한 후, 실제 제품 디자인 및 시제품 생산까지는 두 달 정도 걸렸다. 대나무와 몰스킨으로 만들어진 도도케이스는 시장에서 불티나게 팔렸고, 나중에 버락 오바마 미국 대통령까지 자신의 아이패드에 도도케이스를 장착했다고 한다. 패트릭은 도도케이스를 위한 별도의 회사를 차렸고, 거기서 초창기에 벌어들인 매출만 30억 원 이상이 되었던 것으로 알려져 있다. 시제품을 만드는 시점까지 도도케이스를 위해 패트릭이 테크숍에 지불한 돈은 120만 원 정도가 고작이었다.

미니 카드리더인 스퀘어^{Square}의 시제품도 사실은 테크숍을 통해서 만들어진 것으로 알려져 있다. 이곳에서 스퀘어의 카드리더를 만든 사람은 트위터를 창립한 잭 도시와 절친한 사이였던 짐 매켈비다. 스퀘어의 공동 창업자이기도 한 그는 손으로 직접 만든 수공품을 사람들에게 팔다가 고객이 지갑 속에 현금이 부족하여 그냥 가 버리는 일이 잦아 마음이 상해 있었다. 그 이야기를 잭 도시에게 한 것이 개인 간 카드 거래 서비스인 스퀘어의 출발점이다. 손톱만한 크기에 불과한 스퀘어 동글dongle(카드 인식 단말기)을 이곳에서 한 달 만에 만들고, 컨퍼런스에 나가서 시연한 후 코슬라 벤처스로부터 투자를 유치했다.

저개발국의 사람들을 돕기 위한 뜻있는 발명도 이루어지고 있다. 스탠퍼드 대학교 출신인 나가나드 머티는 갓 세상에 나온 아이들 중 미숙아의 경우 따뜻한 담요가 필요한 것에 착안하여, 아기용 보온 파우치를 개발했다. 2012년에만 해도 수십만 명의 아이들이 이 제품의 혜택을 볼 것으로 예상되고 있다. 그밖에도 사람이 입고 하늘을 날게 해 주는 제트팩, 세상에서 가장 빠른 오토바이라고 주장하는 라이트닝 모터사이클 등 좀 더 복잡한 제품들도 회원들에 의해 만들어진다. 미국 차량 제조의 심장부인 디트로이트에 테크숍이 들어서자, 지역 사회는 자동차 제작에 관심이 많은 인근 대학의 학생들과 퇴직한 노동자들이 테크숍을 통해서 차량 관련 신제품을 발명해 줄 것으로 기대하고 있다.

발명가와 예술가를 위한 플랫폼
적어도 테크숍이 있는 지역에 사는 사람들은 제품을 생산할 때 건너야 할 세 가지 죽음의 계곡^{Death Valley} 중에서 첫 번째 단계인 시제품 제작과 관련된 부분은 위험 부담 없이 해결할 수 있을 것으로 보인다. 기존에 대기업의 연구소와 공장에 있던 수준의 최첨단 장비들을 이제 일반인들도 마음껏 활용할 수 있기 때문이다. 이후 두 번째와 세 번째 단계에 해당하는 자금을 유치하여 상용 제품을 생산하고, 대량 생산에 이르는 과정에서는 테크숍의 도움을 받지는 못하지만 이미 다른 방법이 존재한다. 시제품에 대한 내용을 킥스타터^{KickStarter} 등 크라우드 펀딩 사이트에 올리면, 제품에 관심 있는 사람들의 선주문을 받을 기회가 생기기 때문이다. 상용 생산에 필요한 자금이 충분하게 모이면, 본격적인 생산에 들어가는 것이다. 그리고 일정 수준 이상의 생산 능력이 필요하게 되면, 알리바바^{Alibaba} 등을 통해 적합한 중국 공장을 찾아서 인터넷으로 생산 주문을 내면 된다. 여건이 마련된 순서로 보면 생산 – 자금 조달 – 시제품 제작의 순서로 일반인이나 작은 기업들이 아이디어를 가진 제품을 만들 길이 열렸다. 특히 테크숍과 같이 '시제품 제작'을 가능하게 해 주는 발명가와 예술가를 위한 플랫폼이 나타남으로써 마지막 고리가 연결되어 완성되었다고 하겠다.

소비자 중심의 혁신 부문의 석학인 MIT의 에릭 본 히펠 교수는 "하드웨어는 갈수록 소프트웨어를 닮아간다"라고 이야기하고 있다. 테크숍을 통해서 발명가들이 제품을 만드는 모습은 스마트폰과 함께 출현한 앱스토어와 유사한 점이 많다. 앱스토어의 경우 연회비를 내면, 앱스토어용 제품을 만들 수 있는 도구를 제공받는다. 이후 앱스토어에 등록한 프로그램은 전 세계의 스마트폰에 동시에 노출된다. 테크숍의 경우 도구와 컨설팅 및 교육을 제공하고 있다. 또한 자금 유치를 위해서, 하드웨어 제품만을 대상으로 하여 스타트업 기업 주간 행사를 열기도 한다. 자금을 유치하여 대량생산의 길을 열기 위해서다. 테크숍의 수익모델은 재료 판매, 월정액 회비, 교육료에서 이벤트 참여비, 컨설팅비로 확대되었으며, 비회원이라도 킨코스처럼 3D 프린터 등 일부 시설을 유료로 사용할 수 있도록 다변화하고 있다.

테크숍에서 얻은 교훈!

테크숍은 주변에서 흔히 볼 수 있는 목공 작업장 등을 한 단계 더 발전시켜, 최첨단 시설로 지어졌다. 그 안에서 각종 교육 프로그램, 코칭, 워크숍 등이 열리기 때문에 아이디어만 있으면 이를 배워서 본인 손으로 직접 그 결과물을 만들 수 있다. 항상 경계를 나누는 진입장벽을 낮추게 되면, 기존에 생각지 못했던 혁신이 나오는 것을 발견할 수 있다. 테크숍의 도움이 없었다면 만나보지 못했을 제품들이 앞으로 점점 늘어날 것이다.

그러면 테크숍에서 배울 수 있는 점을 살펴보도록 하자. 우선은 사업에 맞는 적합한 장소를 잘 선택하라는 것을 들 수 있다. 쉽게 보자면 입지선정의 이야기일 수도 있다. 테크숍의 사업모델은 큰 공장과 최첨단 설비, 그리고 교육 담당 인력 등 많은 고정비를 필요로 한다. 수익이 들어오는 곳은 월회비와 유료 교육, 워크숍, 재료 판매 등이다. 따라서 고정비를 상회할 정도의 충분한 수요 기반을 가지고 있지 않으면 사업이 성공할 수 없는 구조적 특징이 있다. 터 자체가 공장이기 때문에 나중에 권리금을 받고 되파는 것도 어렵다. 사업 자체로 승부를 봐야 하는 것이다.

창업자들도 이런 측면을 잘 알고 있었고, 초기에 창업가 정신이 충만한 샌프란시스코에 공장을 차린 것도 같은 이유에서였다. 목공처럼 취미 삼아 나무의자나 식탁 등을 만드는 것보다, 기계를 다루는 테크숍의 수요 기반은 약할 수밖에 없다. 그래서 무언가를 만든후, 이것을 사업으로 연결하고자 하는 욕구가 큰 사람들이 많이 올것이고, 이런 고객이 많은 곳에 공장을 세워야 했다. 개인 발명가뿐만 아니라, 중소기업들 중 최첨단 시설을 이용하고 싶은 곳 또는 테크숍을 다품종 소량의 생산시설로 활용하고 싶어하는 회사들도 고객이 되었다. 결국 개인 발명가와 공학과 관련된 학교, 기업들이 몰려 있는 곳, 자체 공장 시설을 확보하기 어려운 중소기업이 많은 곳이 최적지라고 하겠다.

더럼이나 포틀랜드에 위치한 테크숍이 어려움을 겪었던 이유는 이와 같은 수요 기반이 상대적으로 취약했기 때문이다. 공장부지가 수요에 비해 너무 넓고, 비싼 임대료를 내다 보니 1년도 되지 않아서 현금흐름에 문제가 생기는 사태가 발생한 것이다. 샌프란시스코에서 잘되고 언론의 주목까지 받던 사업이라 하더라도, 다른 곳에 갔을 때 똑같이 잘되리라는 보장이 없다는 것을 이 경우에도 확인할 수 있다.

디트로이트 같은 경우는 조금 다르다. 창업자들에게는 원래 디트로이트로 진출할 계획이 없었다. 자동차 회사인 포드에서 먼저 테크숍에 대한 관심을 보였으며, 나중에는 자사가 보유하고 있던 페어레인 비즈니스 공원 내 부지를 빌려 준다. 아마 상당히 좋은 조건으로 임차할 수 있었을 것이다. 포드 입장에서는 지역 시민들에 대한 사회적 기여라는 명목도 있었을 것이다. 그동안 경기불황에 의해 많은 자동차 업종 엔지니어들이 퇴사를 했다. 그런 사람들이 자립할 수 있는 기반을 테크숍을 통해 모색할 수 있을 것이었다. 또한 포드자동차 역시 테크숍을 퇴직한 직원들의 아이디어를 얻고, 함께 연구 개발을 할 수 있는 오픈 이노베이션 센터로 활용할 수 있을 것이었다.

이와 같이 기업의 사회적 기부와 지역 자치단체의 지원, 지역 커뮤니티 기반 오픈 이노베이션 센터로의 역할 확대는 앞으로 테크숍이 나아갈 방향을 보여 준다고 하겠다. 즉 기존처럼 민간 토지와 시설을 임대하여 아슬아슬하게 사업의 수지를 맞추는 구조가 아니고, 테크숍이 들어서는 지역의 기업가 정신을 고취하고, 산학 연구를 활성화할 수 있다는 차원에서 민간과 기관에서 지원을 이끌어 내는 방향이 적합하다고 할 수 있다.

두 번째 교훈은 업의 성격에 맞게 경영해야 한다는 것이다. 국내 경영자 중에 업종의 본질을 가장 중요시했던 경영자는 삼성의 이건희 회장이다. 취임 초기부터 계열사 사장들에게 자신이 맡은 회사의 '업의 본질'이 무엇인지 물었다고 한다. 신라호텔의 경우 일반적으로 서비스업, 숙박업, 요식업 등으로 분류했는데 이건희 회장의 생각은 달랐다. 부동산업으로 본 것이다. 호텔이 들어서면 근처에 유동 인구가 증가하고, 이에 따라 인근 부동산 가격이 들썩이기 때문이다. 호텔을 지으면서 인근 땅을 미리 사 놓으면 확실한 수익원이 될 수 있다.

그렇다면 테크숍은 '업의 본질'이 무엇일까. 큰 공장 부지를 이용하고 있고, 이를 사용하는 사람들이 커뮤니티를 형성해서 오고간다. 호텔처럼 땅값이 들썩일 정도는 아니겠지만, 테크숍 인근에도 작은 기업들이 모일 수 있는 여건이 된다. 테크숍의 특성상 시내 중심지에 공장을 세울 수는 없기 때문에, 작은 기업들 입장에서 상대적으로 초기 임대료도 저렴할 것이다. 그래서 지역 투자자에게서 자금을 모아 시내에서 약간 벗어난 지역에, 싼 가격으로 공장과 인근 부지를 매입하고, 해당 지역의 기업환경이 활성화되면 수익을 얻는 방식도 하나의 업의 특징으로 볼 수 있다. 일명 클러스터 기반의 부동산업이라고 할 수 있겠다.

또 다른 테크숍의 업은 커뮤니티 사업이라고 볼 수 있다. 교육과 워크숍 등 기술교육도 중요한 역할을 하지만, 테크숍을 중심으로 사람들이 모이면서 서로 아이디어를 주고받고, 나중에는 하나의 팀으로 모일 수도 있다. 테크숍에 오가는 사람들의 모임이 활성화되면 바로 지역 개인 발명가 모임 또는 중소 제조기업 모임처럼 기능할 수 있다. 기업가 정신을 가지고 있고, 무엇인가 만들기 좋아하는 사람들의 공통점이 형성한 커뮤니티는 다른 후발주자들과 대비해서 큰 차별점이 될 수 있을 것이다. 지역별로 나뉜 테크숍 간에도 이런 친목 커뮤니티를 교류하게 되면, 회원들의 충성도 역시 상당히 개선될 것으로 보인다.

테크숍의 창업자들이 현재 이런 점을 깨닫고 본격적으로 움직이는지는 확실치 않다. 하지만 프랜차이즈 모델이 실패한 이유에는 위와 같이 업의 본질에 대한 접근 방식의 차이도 있는 것 같다. 부동산업으로 본다고 하면, 직영 체제로 하되 지역 투자가들에게서 자금을 모아 테크숍 공장 부지와 인근 땅에 골고루 투자하는 모델을 택하는 것이 맞다. 커뮤니티 사업으로 본다고 할 경우에도, 커뮤니티 활성화를 위한 철학과 다양한 노하우가 필요하다. 프랜차이즈 형태로 사업을 확장하기에는 기본적으로 업의 특성이 맞지 않다고 생각된다.

과거를 돌아보면 정보산업에서도 테크숍과 같은 역할을 하던 것이 있었다. 학교에 설치된 메인 프레임 컴퓨터가 그런 경우다. 시간제로 빌려 사용하는 방식으로 여러 사람들이 컴퓨팅 자원을 나눠 쓰지 않았던가. 또 컴퓨터 학원의 프로젝트 룸에 설치된 컴퓨터들도 비슷한 역할을 했다. 프로그램을 만들 수 있도록 자원을 공개한 것이다. 이제는 각 개인들이 고성능의 개인용 컴퓨터를 보유하고 있기 때문에, 생산 활동 자체가 개인화되었다. 3D 프린터나 모델링 툴은 이미 개인이 구매할 수 있는 수준으로 가격이 내려가고 있다. 어찌 보면 테크숍도 제조 활동 자체가 개인화되어 가는 와중에 있는 징검다리라고도 볼 수 있겠다. 기존의 메인 프레임 같은 존재로서 말이다.

PART 3

금융 분야의 신흥
플랫포머

눈에 보이지 않는 금융상품을 취급하는 금융 분야는 그 안에서도 다양한 업종의 회사들이 존재한다. 대표적인 것이 돈을 빌려 주는 대출 기능을 가진 은행과 신용 결제 수단을 제공하는 신용카드사, 그리고 기업에 투자하는 투자금융사들이다. 이러한 기업들은 대체로 일정한 전제 위에서 사업을 영위하고 있다.

예를 들면 은행의 경우, 돈을 맡긴 사람에게는 이자를 주고, 빌린 사람에게는 그보다 높은 이자를 받아서 수익을 낸다. 이를 예대마진이라고 부른다. 그리고 누구에게 대출을 할지는 은행이 결정하는 사안이어서 예금을 하는 개인들은 선택권이 없다. 이런 전통적 가정을 깨고, 돈을 가진 사람들이 직접 대출받을 사람을 선택하고, 이자는 한 푼도 챙기지 않는 것이 가능할까.

신용카드의 경우 이를 밖에서 사용하려면, 카드 가맹점으로 등록된 곳에서만 가능하다. 주로 식당이나 매장 같은 소매점이다. 개인과 개인 간에 카드로 거래하려면 카드 인식기가 필요한데, 보통 개인이 쓰기에 적당하지 않다. 그러면 벼룩시장 같은 곳에서 개인이 카드로 물건을 팔 수 있는 방법은 없을까.

투자의 경우에는 주로 증권화할 수 있는 주식, 원자재 등이 그 대상이었고, 투자 수익이 목적이었다. 이와 같은 대상 범위와 목적을 무한히 확장할 방법은 없을까. 이제부터 소개할 기업들은 금융 분야에서의 이런 전통적 가설들을 뒤집는 혁신을 보여 줄 것이다.

01 작은 기업가와 큰 세상을 연결하다, 키바^{Kiva}

아프리카에서 남편 없이 어린 3남매를 키우며 살고 있는 알마즈 씨는 요즘 형편이 조금씩 나아지고 있음을 느낀다. 집 앞 마당에서 닭을 키우며, 암탉이 낳은 달걀을 매일같이 시장에 나가 팔면서 조금씩 수익을 얻고 있기 때문이다. 아무런 담보도 없었던 알마즈 씨였기에, 비록 소액이지만 대출이 가능했다는 것이 신기하다. 알마즈 씨는 약속한 1년이란 기간 내에만 원금과 20%가량의 이자를 갚으면 된다. 놀라운 것은 만약 원금을 갚지 않는다고 해도, 법적으로 알마즈 씨가 감당해야 할 부분은 없다는 것이다. 하지만 이런 고마운 도움의 손길에 보답하기 위해서라도, 반드시 갚으리라 다짐해 본다. 아프리카에 생계형 창업을 한 알마즈 씨를 도운 이는 갚지 않아도 굳이 책임을 묻지 않는 대출을 왜 해 주고 있을까?

아프리카에서 재발견한 기부의 진정한 의미

마이크로 파이낸스$^{Micro\ Finance}$, 가난한 자를 위한 금융이라고도 불린다. 주로 신용도가 낮은 사람들이 돈을 빌리거나 소액으로 예금을 가입하거나 이체하는 것, 또는 소액보험을 드는 것 모두에 해당될 수 있다. 이러한 마이크로 파이낸스의 영역에서는 기본적으로 소액의 현금이 움직이므로, 거래 금액에 비해 단위당 거래 비용이 높은 편이다. 또한 상황에 따라 기존의 증권 거래법 등에 저촉될 수 있는 여지도 존재하기 때문에 모델을 현실화하기가 생각보다 쉽지 않다. 이러한 영역에서 선의의 사람들을 모아, 가난한 자를 위한 무수익 투자 프로그램을 성공적으로 운영하는 '키바^{Kiva}'라는 회사가 있다.

키바는 아프리카의 스와힐리어로 '단체' 또는 '협약'을 의미하는 단어이다. 키바의 창업자는 매트 플래니와 제시카 재클리로 서로 연인 사이였을 때부터 함께 키바를 준비하고, 나중에 결혼하여 부부가 되었다. 키바 창립 이전에는 각각 티보^{Tivo}에서 프로그램을 개발하고, 지역 기업가 펀드$^{VEF,\ Village\ Enterprise\ Fund}$에서 컨설팅을 맡아 일했다. 제시카 재클리가 파트타임으로 근무하던 지역 기업가 펀드는 동아프리카에서 기업을 시작하려는 사람들에게 소액 대출을 제공하는 비영리 기구였다. 키바의 모델이 지역 기업가 펀드와 무관하지 않음을 뒤에서 보게 될 것이다.

제시카 재클리는 고등학교 시절에 교회 활동으로 아이티에 가서, 상상 이상으로 가난한 사람들을 보게 된다. 당시 이들을 돕지 못하는 자신의 처지에 대해 일종의 무력감을 느꼈고, 성년이 되어서도 가난한 사람들을 도울 방법을 찾고 싶었다. 그러던 중, 어느 날 그라민 은행을 설립한 무하마드 유누스 박사의 강연을 들은 뒤부터 가난을 완전히 다른 방식으로 바라볼 수 있음을 깨달았다. 가난은 사람들의 게으름과 무지에 의해서 일어나기보다는 사회의 구조적인 문제 때문에 일어날 수 있다는 것이다. 그리고 유누스 박사가 빚에 눌려 고통 받던 42명의 여인들에게 고작 3만 2000원 정도를 빌려 주어 그들을 빚에서 해방한 이야기, 그리고 얼마 후에는 그 여인들이 유누스 박사에게 빌려 간 3만 2000원을 갚은 이야기는 키바의 탄생을 이끌 섬광 같은 깨달음을 안겨 준다.

테드 컨퍼런스에 연사로 서게 되었을 때, 제시카는 당시 받은 감동을 사람들 앞에서 이렇게 이야기한다. "그가 했던 가난한 사람들에 대한 이야기는 내가 들은 어떤 이야기들과도 달랐습니다. (중략) 그 사람들은 매일 자신과 가족의 삶을 나아지게 하려고 노력하는 이들이었습니다. 그들에게는 단지 그것을 좀 더 빠르고 더 잘하기 위해 약간의 자본이 필요할 뿐입니다. 저에게는 이것이 엄청난 통찰이었습니다."

그 후 제시카는 아프리카로 건너가 마을에서 직접 닭을 키우거나, 물건을 내다 파는 영세 사업자들을 만나고, 인터뷰했다. 그리고 얼마 안 되는 돈이 스스로 자립하려는 사람들에게 실제로도 큰 도움이 되고 있음을 비로소 직접 확인했다. 이후 남자 친구였던 매트 플래니와 함께 2004년부터 사업을 준비하게 된다.

증권법, 테러방지법까지 공부하게 된 사연

키바는 지역 금융기관을 통해야 투자자들의 돈을 현지 사업가들에게 전달할 수 있다. 국가별로 지역 거점이 있어야 사업이 가능한 것이다. 이런 이유로 여러 지역으로 뻗어 나갈 때 사업 확장이 용이하지 않다는 문제가 있었다. 그리고 기부 성격의 투자금을 운영하다 보니, 기본적으로 비영리 성격의 일을 함에도 불구하고, 운영비용을 충당하기 위해서는 수익을 추구해야 하는 사업모델상의 고민도 있었다. 결과적으로 이런 문제는 시간이 지나면서 해법을 찾았다.

당시에 창업자들을 괴롭혔던 또 다른 문제는 증권법과 관련된 것이었다. 저개발국의 사업가들에게 자금을 투자한다는 발상 자체는 좋았지만, 이를 증권기관에 신고하지 않고 진행하다가는 증권법에 저촉될 수도 있다는 주변인들의 조언을 듣게 된다.

창업자들은 법률 자문을 받기 위해 샌프란시스코에 있는 로펌을 30군데 이상 접촉했지만, 키바가 추진하던 마이크로 파이낸스가 전례 없던 방식이어서, 대부분 자문 업무 맡기를 꺼렸다. 나중에 간신히 한 곳이 관심을 보이고 자문을 맡게 된다.

당시만 해도 창업자들은 돈을 빌린 사람이 빌려 준 사람에게 약간이라도 이자를 주는 모델을 생각했다. 현재 키바의 사업모델에서는 이러한 이자 자체가 없다. 그 이유는 미국 증권거래위원회의 담당자와 수차례 통화를 나누면서, 증권법의 대상이 되지 않으려면, 주고받는 돈에서 이자의 개념을 없애야 한다는 것을 확인했기 때문이다.

미국에서는 테러방지법도 고려해야 하는 상황이었다. 키바가 저개발 국가로 자금을 보내는 경우, 그 돈이 테러리스트들에게 흘러들어 갈지도 모른다는 우려가 있을 수 있다. 정부 측 가이드라인을 준수하는 것만으로 문제가 해결되었다고 보기 어렵다. 나중에 어떤 식으로든 자금이 다른 용도로 사용되지 않도록 감독하는 것이 중요해졌다. 키바가 이 낯선 영역을 개척하기까지 풀어야 할 숙제도 많고, 과정이 결코 순탄하지 않았음을 잘 보여 주는 대목이다.

평범한 일반인들은 아마 평생 들여다 볼 필요가 없을 증권법과 테러방지법 등까지 공부하면서 사업을 준비해야 했던 창업자들은 차츰 가능한 방법들을 찾아가고 있었다.

자고 일어나 보니, 스타가 되다

아홉 달 동안의 아프리카 여행에서 돌아온 후, 두 창업자는 어떻게든 첫걸음을 떼어야 키바가 머릿속의 생각만으로 끝나지 않을 거라 생각하고 결심을 굳힌다. 당시 티보에서 근무하던 매트 플래니가 프로그램을 맡고서부터, 서로 머리를 맞대고 키바 사이트의 개발을 시작했다. 도메인명이 키바로 정해진 것도 이 시점이다. 키바라는 이름을 정하긴 했지만, 다른 이가 이미 도메인을 소유한 상태였다. 도메인을 넘겨받는 데 72만 원 정도의 돈을 쓰고 나니, 로고 디자인을 맡길 현금이 충분치 않았다. 매트 플래니는 가지고 있던 전자기타를 현금대신 디자이너에게 수고비로 넘긴다.

투자를 받을 일곱 명의 사업가에 대한 이야기가 사이트에 올라온 후, 창업자들의 결혼식에 참석할 지인들에게 안내 메일이 보내지고,

주말 중에 420만 원에 해당하는 투자액이 전부 들어와 첫 번째 투자 매칭에 성공했다. 그리고 페이팔^{Paypal}에서 근무했던 프리멀 샤가 합류한 후 마케팅에도 탄력이 붙기 시작한다.

계속 투자받을 사업가들의 이야기를 늘려가던 중, 많은 방문자를 가진 데일리코스^{dailykos} 블로그 메인에 키바 이야기가 올려지자 키바 사이트의 방문자가 급증하게 되었다. 매트 플래니가 아침에 이메일 함을 열어 보니 수천 통의 메일이 와 있었다고 한다. 저개발국 사업가들을 돕고 싶어하는 사람들뿐만 아니라, 키바와 제휴하고 싶어하는 지역 금융기관들의 메일이 쇄도하면서 사업은 새로운 전기를 맞이한다. 지역 금융기관들과의 제휴는 조심스럽고, 천천히 이루어졌고, 40군데 이상과 제휴하는 데 1년 이상이 걸렸다.

좋은 뜻에 동참한 페이팔의 도움

지금까지 키바는 40명 이상의 직원과 함께, 통산 3000억 원이 넘는 돈이 아프리카, 방글라데시 등의 저개발국 사업가들에게 전달되도록 도왔다. 또한 제대로 된 최초의 개인 대 개인 간 대출 시스템을 구현하였다고 평가할 수 있다. 미국에서 살고 있는 사람이 빌려 준 돈이 아프리카 케냐에 살고 있는 사업자에게 전달되고, 1년 후에 다시 98% 이상이 회수된다. 이것이 가능하기 위해서는 조직 운영이 필요하다. 우선 돈이 필요한 사업자들이 있는 지역에서 대출을 관리하고, 사업자 모집 및 심사, 대출금 회수를 담당할 지역 내 금융기관들이 있어야 한다. 또한 대출된 돈이 제대로 사업자에게 전달되는지, 사업자는 사업에 문제가 없는지 등을 관찰하는 사람들이 존재한다.

 사람들이 빌려 준 돈은 한 푼도 떼지 않고, 키바를 통해 지역 금융 기관들에 전달된다. 수수료 제로가 가능한 이유는 페이팔이 키바에 대해서만큼은 통상적인 3% 수수료를 받지 않기 때문이다. 키바는 빌려 줄 사람에게 중개수수료 역시 요구하지 않는다. 지역 금융기관들은 돈을 빌리는 사업자들에게 평균 22%가량의 이자를 받는다. 이자가 이렇게 높은 이유는 소액 대출이면서, 동시에 심사부터 회수까지 관리해야 할 사항들이 많기 때문이라고 한다. 예를 들면 저개발 국가의 경우 산간마을에서 닭을 키우기 위해 12만 원을 빌리는 사업자가 있을 수 있다. 현장 실사 등을 거치려면 노고가 생각보다 만만치 않을 것이다.

 키바는 기존에 기부라는 이름으로 이루어지던 가난한 사람들에 대한 선진국의 손길을, 보상을 바라지 않는 투자라는 개념으로 바꾸어 놓았다. 예전에는 기부를 하는 사람들은 돈을 내놓으며, 그 보상으로 선행을 했다는 심리적 보상과 기부액 상당의 세금감면 혜택을 받았다. 키바에서 가난한 사업가들에게 투자한 사람들은 3만 원 단위의 소액으로 지불하고 있으며, 자신이 도움을 준 사람들의 삶이 변화하는 과정에 이야기를 통해 동참한다. 투자가 이루어진 이후에 생활이 개선되어 가는 사업가들의 이야기는 단지 채권-채무 관계가 아닌 정서적 관계를 바탕으로 하고 있는 것이다. 실제로 회수된 투자금의 90%가량은 사업자들에게 재투자되고 있다고 한다.

믿었던 파트너의 배신으로 맞은 위기

한때 키바도 지역 금융기관들의 횡령 사건으로 위기에 빠진 적이 있었다. 돈을 입금받고도 사업자들에게 돈을 전달하지 않거나, 아예 처음부터 허위로 서류를 꾸며 돈을 타 낸 것이다. 초창기에는 대부분 소개를 통해 지역 파트너 물색이 이루어졌다. 매번 지구 건너편에 있는 파트너와 만나고 감독할 수 있는 상황이 아니다 보니, 관리상의 허점이 드러나게 되었다.

창업 후 3년간 키바와 제휴를 맺은 지역 파트너는 110여 개가 되었는데, 키바에서 직접 조사를 한 결과 이중 여섯 곳에서 심각한 문제가 발견되었다. 창업자인 매트 플래니는 이 문제를 이사회에 보고한 후, 비행기를 직접 타고 아프리카로 날아가 문제해결에 팔을 걷어붙였다. 유명 블로거이자 당시 이사회 멤버였던 제프 데이비스 역시 당장 조치를 취해야 한다고 권고한다. 횡령된 돈은 대부분 잘못 투자되거나, 개인 집을 짓는 데 유용되어서 회수가 불가능한 상황이었다.

당시의 금액 자체도 적지 않았고, 무엇보다 돈을 빌려 준 회원들에 대한 신뢰가 훼손될 수 있는 위기의 순간임은 분명했다. 하지만 키바는 특유의 투명한 경영으로 이를 현명하게 극복한다. 키바가 보유한 현금을 이용해 되찾을 수 없는 자금을 메우고, 회원들에게 사태의 진상을 투명하게 알렸다. 동시에 재발 방지 대책에 대해 회원들과 논의의 장을 만들었다. 결과적으로는 돈을 빌려 주었던 당사자들까지도 키바의 직원들을 위로하며, 응원의 메시지를 보낸다. 이후

감독 기능이 강화되고, 커뮤니티의 결속력도 강화되니, 비온 뒤에 땅이 굳은 격이다.

마침내 모두가 걱정하던 수익모델을 찾다

그러면 비영리 기구인 키바는 어떤 방식으로 직원 급여 등을 주며 유지를 하고 있을까. 돈을 빌려 주는 회원이 결제를 하려고 하면, 키바에 기부할지 여부를 선택하는 영역이 화면에 뜬다. 빌려 줄 돈의 10% 정도 금액이 기본 설정되어 있다. 사용자가 키바에 기부할지 여부는 순전히 선택사항이다. 그럼에도 보통 두 명 중 한 명은 기부를 같이 선택한다.

자금을 집행하면서 생기는 이자 수익도 중요한 수익원이 되고 있다. 키바는 매일 모인 투자금을 지역 금융기관에 전달한다. 통장에 들어 있는 돈이 꽤 크다 보니, 머니마켓펀드^{MMF}를 통해서 연 3%대의 이자를 벌고 있다. 마지막으로 만기일이 있는 선물 인증서를 판매하는데, 결국 사용되지 않고 만기일까지 가게 되는 경우 이런 잔여분에 대한 잔고도 수익원이 되고 있다. 고귀한 목적은 추구하되, 현실적인 운영방안은 확보해 나가는 바람직한 모습을 보여 주고 있다.

키바 역시 분명 풀어야 할 숙제를 안고 있을 테지만, 단순히 자선을 벗어나 가난한 자들의 자존감을 세워 준 투자 개념을 도입한 것과 두 창업자의 소명 의식은 충분히 새겨 볼 만한 가치가 있다.

키 바 에 서
얻 은
교 훈 !

        저개발 국가의 사업가들이 자립할 수 있도록, 선진국 사람들의 대출을 연결해 준 키바는 기부 경제라는 하나의 사회적 체제를 구축했다고 할 수 있다. 빌려 주는 사람 입장에서는 이자가 없는 대출이고, 갚을 사람 입장에서는 원금을 못 갚아도 법적 책임이 없는 다른 별나라에서나 있을 법한 시스템이다. 이런 독특한 시스템이 있었기에, 불특정 다수를 위한 기부와 다른 방식으로 인류에 공헌하고 있다고 하겠다.

  하나의 사회적 체제를 새로 만든 키바의 경우, 여러 가지 배울 점들이 있을 것이다. 그중 몇 가지만 같이 살펴보도록 하자.

  우선 개인의 마음속 깊은 곳에 있는 소명을 따라가라는 점을 들수 있다. 키바의 탄생에는 창업자, 특히 제시카 재클리가 어린 시절부터 갖고 있었던 가난한 자들을 도와야겠다는 소명 의식이 큰 영향을 미쳤다. 우연히 방문한 아이티에서 보게 된 사람들의 일상은 마음의 충격을 주었다. 하지만 그것이 단지 충격으로 끝났다면, 지금의 키바는 없었을 것이다. 평범한 청소년기를 지내고 성장하면서, 자신의 문제에 더 관심 많은 보통 사람이 되었을 수도 있었다. 특히 가난한 사람들을 돕는 일이라는 것이 화려한 일은 아닐뿐더러, 관심이 없으면 지속하기 어려운 일이다. 제시카 재클리는 가난한 나라를 돕는 비영리 재단에서 일하는 등, 어린 시절에 얻은 소명을 늘 마음 속에 간직하고 있었다. 그렇기 때문에 그라민 은행의 총재가 된 무하마드 유누스 박사의 강연이 제시카가 풀고자 했던 문제의 실마리로 다가올 수 있었던 것이다.

파울루 코엘류가 쓴 『연금술사』는 보물을 찾아 이집트로 떠나는 양치기 청년에 대한 이야기다. 그는 스페인에서 이집트까지 사막을 건너는 여행을 하며, 갖은 경험을 하게 된다. 중간에 다시 양치기로 돌아가고 싶어하기도 하고, 오아시스에서 사랑하는 여인을 만나 그대로 여행을 중단하고 싶은 생각에 갈등도 한다. 하지만 끝내 보물을 찾기 위한 여행을 멈추지 않는다. 이 책에 등장하는 많은 인물들은 '마크툽'이라고 자주 되뇐다. 아랍어로 '이미 씌어 있는 말이다'라는 의미인데, 운명이 가리키는 표지를 따라가야 한다는 뜻으로 쓰이고 있다. 사막에서 대상의 무리에 섞여서 이집트의 피라미드를 향해 갈 때도, 험한 길을 우회해서 가더라도 큰 방향은 피라미드를 향해가고 있었다. 마음이 향하는 쪽, 소명 의식이 공명하는 쪽으로 몸을 움직이는 것이다.

키바의 창업자들은 아프리카로 직접 찾아가서, 기부가 아닌 사업자들에게 돈을 빌려 주는 것이 그들의 삶을 어떻게 변화시키는지를 직접 확인한다. 또한 아프리카의 많은 사람들과 만나서, 같이 부대끼며 대화하면서 많은 것을 깨닫는다. 단지 피상적인 모습으로서의 가난이 아니라, 사람들의 삶 속에 있고, 좋은 시스템만 제공되면 극복될 수도 있는 가난의 모습을 알게 된 것이다. 이는 나와 남, 주체와 객체를 나누지 않고, 같이 섞이고 부딪치면서 문제를 바라보는 적극적인 자세라고 하겠다. 오랜 시간 마음속에 자리했던 소명의 부름을 따라갔기에, 아프리카에서 소명을 이루기 위한 본격적인 여정에 오를 수 있었다.

두 번째로는 어렵고 막막해 보이는 문제라 하더라도 일단 부딪쳐 보라는 것이다. 이제까지 전례가 없었던 국경을 넘나드는 개인 간 대출 시스템이었기에, 창업자들은 키바가 증권법, 테러방지법 등에 저촉될 수 있다는 것을 중간에 알게 된다. 자문을 구하려 해도 법률회사에서는 쉽지 않은 문제라고 보고 그 일을 맡으려 하지 않았다. 멋모르고 시작했다가는 졸지에 범법자가 될 수도 있는 사업이었으니 이 분야에 대해 전문 지식이 없었던 창업자들은 곧 곤란에 빠졌다.

하지만 결국 자문을 해 줄 법률회사도 찾았고, 증권거래위원회에서 제공하는 법률 상담 프로그램을 통해서 중요한 사항들을 체크할 수 있었다. 법 자체는 전문적 분야여서 이러한 새로운 범주의 사업에 어떻게 적용될지 알기 어렵다. 법과 관련된 기관들은 사전에 법이 잘 준수될 수 있도록, 상담을 받을 수 있는 채널을 열어 두는 경우가 많다. 여기서 알게 된 가장 큰 소득 중의 하나는 빌려 주는 사람들에게 이자를 주지 않는 것이 전체적으로 사업모델을 단순하게 하는 방법이라는 것이었다. 이전까지만 해도 창업자들은 약간의 이자라도 제공하는 방식을 생각하고 있었다.

투자가로부터 들은 확장 가능성에 대한 고민도 나중에 자연스럽게 해결되었다. 초기에 키바는 해당 지역의 금융기관과 연계하여 대출금을 집행해야 하기 때문에, 여러 나라에 빠르게 사업을 확장하기가 어렵다고 생각되었다. 창업자들도 이에 대해 고민했지만, 뚜렷한 답이 있었던 것 같지는 않다. 그런데 문제는 의외의 방향에서 쉽게 풀렸다. 초기에 서비스를 하면서 키바가 유명 블로그 등에 소개되고, 언론 등에 노출되자 많은 사람들이 키바라는 존재를 알게 되었다. 그래서 키바의 창업자들에게 지역 금융기관을 맡고 싶다는 의향이 담긴 메일이 전 세계에서 쇄도했다. 나라별로 일일이 다니면서, 대상자들을 물색하는 수고를 훨씬 덜게 된 것이다. 당신이 진정 원하는 일이라면 직접 부딪쳐 보라. 거기서 무엇인가 변화가 일어난다면, 아마 다음 단계를 위해 필요로 하는 사람들이 스스로 당신을 찾아올 것이다.

세 번째로는 진실의 순간에 이르렀을 때, 투명하게 행동하라는 것이다. 키바는 아프리카에 있는 지역 금융기관이 저지른 횡령 사건 때문에 난처한 상황에 빠진다. 사람들이 가난한 사업자들을 위해 십시일반으로 모은 대출금이 지역 금융기관 담당자의 집을 사는 데 쓰이는 등 문제가 심각했다. 존재하지도 않는 사업자들을 가짜 서류로 만들어서, 돈을 타 낸 경우이다. 당시 키바는 다행히도 다시 찾을 수 없게 된 돈을 메울 만한 자금을 확보하고 있었다. 문제는 이러한 횡령 사실 자체를 돈을 빌려 준 회원들에게 알려야 할지였다. 키바는 기본적으로 신뢰를 기반으로 한 서비스였다. 가난한 사람에게 무이자로 돈을 대출해 주기 위해서는 사람도 진짜여야 하고, 돈도 제대로 전달이 되어야 한다. 그래서 횡령 문제를 회원들이 잘못 받아들이게 되면 자칫 키바의 신뢰 구조가 무너져 그 이후의 일을 장담할 수 없을 것이다. 어찌 보면 사업하는 입장에서는 그냥 덮은 채로 넘어가고 싶을 만한, 어려운 결정의 순간이다.

키바의 창업자들은 이런 상황에서 모든 내용을 회원들에게 알리기로 결정한다. 대출된 자금은 키바에서 환불해 주기로 하고, 향후 재발 방지를 위해서 감독 기능을 강화하기 위한 약속도 잊지 않았다. 우려했던 바와 달리, 키바의 회원들은 투명하게 사실을 알리고, 문제해결을 위해 애쓴 키바의 구성원들을 격려하고, 지지를 아끼지 않았다. 키바 자체가 하나의 커뮤니티 기반 사회 시스템이기 때문에, 이런 투명성은 회원들의 신뢰를 얻기 위해 결정적인 역할을 한다. 물론 항상 투명하게 행동하는 것이 긍정적인 결과만을 낳지 않을 수도 있다. 하지만 문제해결을 위해 최선을 다했고, 최종 판단은 커뮤니티 내 회원들이 해야 했다. 키바의 존속 이유 자체가 투명성을 배제하고는 성립이 되지 않는다는 것을 창업자와 이사회 역시 잘 알고 있었다. 투명하게 행동하는 것의 중요성은 이 책에서 몇 번 보게 될 것이다. 어찌 보면 거리의 혁신가들을 시험에 들게 하는 상황처럼 보일 정도다. 다른 혁신가들이 어찌 행동했을지를 보면, 독자들은 키바가 투명하게 행동함으로써 혜택을 본 유일한 경우가 아님을 알 수 있을 것이다.

키바는 현재 매트 플래니가 대표로 남고, 제시카 재클리는 프로파운더^{ProFounder}를 창업하여 대표로 있다. 프로파운더는 기업들이 인터넷을 통해 개인에게서 필요한 자금을 모을 수 있도록 돕는 서비스다. 아프리카뿐 아니라, 선진국에 있는 기업도 수혜자가 될 수 있다. 하지만 증권 관련법의 저촉이 될 수 있는 여지가 있어서, 2012년 2월경부터 서비스를 중단한 상태다. 하지만 아직 그녀는 프로파운더의 비전은 멈추지 않을 것이라 이야기한다. 크라우드 펀딩과 관련된 미국 내 법이 개정되거나, 창의적인 다른 방법을 찾는다면 우리는 또다시 소명을 위해 여정을 나서는 창업자의 모습을 보게 될 것이다.

02 벼룩시장을 즐겁게 하는 개인 간 카드 거래, 스퀘어^{Square}

수지 양은 오늘 기분이 좋다. 주말에만 열리는 벼룩시장에 그동안 묵혀 놨던 옷가지와 가방 들을 팔려고 가지고 나갔는데, 비교적 좋은 가격에 팔게 된 것이다. 비슷한 또래의 여학생이 다가와, 옷 스타일이 맘에 든다며, 물건의 반 이상을 한꺼번에 사 갔다. 30만 원 남짓한 가격에 팔았는데, 여학생은 그만한 현금은 가지고 있지 않다고 했다. 이 여학생의 지갑에는 신용카드가 있었지만 보통 이런 상황에서는 사용하기 어려웠을 것이다. 하지만 수지 양에게는 방법이 있었다. 재빨리 주머니에서 무언가를 꺼내더니 핸드폰에 꽂고, 카드를 긁었다. 자영업자도 아니고 그저 학생일 뿐인 수지 양이 어떻게 신용카드를 받아서 물건을 팔 수 있었을까? 그리고 손톱만한 크기의 이 물건은 도대체 무엇이었을까?

오렌지 빛 유리 세공품에서 얻은 아이디어

신용카드는 이미 80년 이상 사용된 결제 수단이다. 매장에서 카드 거래를 하려면 물건을 파는 쪽이 먼저 준비할 것이 있다. 바로 카드 단말기다. 이곳에 카드를 긁어야 상품 결제가 이루어진다. 카드 단말기를 들여놓으려면 필요한 준비절차가 있고, 고정적인 비용도 발생한다. 그렇기 때문에 개인이 물건을 팔 때 단말기를 이용하는 경우는 거의 없다. 바로 이러한 부분에 착안하여 누구나 파는 입장에서 쉽게 카드 거래가 가능하도록 한 서비스가 스퀘어^{Square}이다.

스퀘어의 창립자는 이미 실리콘밸리에서는 유명 인사가 된 잭 도시와 그의 옛 직장 상사이자 친구인 짐 매켈비다. 잭 도시는 지금 한국에서도 많은 사람들이 애용하는 트위터의 창립자이기도 하다. 트위터의 전신인 오데오^{Odeo}에 잭 도시가 근무할 때, 사내 워크숍에서 신규 사업 아이디어에 대한 브레인스토밍을 했다. 여기서 잭 도시가 내놓은 아이디어가 바로 지금의 트위터로 발전했다. 한때 트위터는 공동창립자였던 에반 윌리엄스가 대표이사를 맡았었다. 잭 도시가 대표이사를 맡았다가, 이사회의 결정에 의하여 에반 윌리엄스에게 자리를 넘긴 것이다. 스퀘어의 성공 이후에 잭 도시는 트위터의 회장 자리를 겸임으로 다시 맡게 된다.

잭 도시는 당시 트위터 이후에 무엇을 할지 뚜렷이 정하지 않은 상태였다. 그래서 지인들과 틈틈이 교류하면서, 무슨 일을 하면 좋을지 궁리 중이었다. 그때 연락을 주고받던 지인 중 한 명이 옛 직장 상사였던 짐 매켈비다. 짐 매켈비는 잭 도시에게 일을 주던 상사였다. 회사에서 CD롬과 관련된 소프트웨어를 만들 때 잭 도시의 도움을 받았다. 업계에서 떠나 잠정적인 은퇴 상태였던 짐 매켈비는 그동안 배워 둔 유리 세공하는 기술로 생계를 꾸리고 있었다.

어느 날 스퀘어의 탄생에 중요한 날이 찾아왔다. 짐 매켈비는 작은 매장에서 유리 세공품을 만들어 팔고 있었다. 그날 매장에 들른 어떤 고객이 오렌지색의 멋진 유리 세공품을 사고 싶어했다. 지갑 속에 충분한 현금이 없었기 때문에, 카드로라도 물건 값을 내고 싶어했다. 하지만 아쉽게도 매장에는 카드 단말기가 비치되어 있지 않았다. 결국 좋은 거래를 성사시키지 못한 것이 못내 아쉬워, 나중에 잭 도시에게도 이 일을 이야기하게 된다. 이 대화를 통해 개인도 카드를 받으며 물건을 팔 수 있는 방법을 찾아보기로 한다. 그래서 당시 신용카드 거래가 이루어지는 방식을 조사하고 나니, 너무 복잡하고 불명확한 거래 프로세스가 많아 이것을 과감히 없애면, 사업기회가 될 것임을 느낀다.

투자 제안을 하러 다니며 돈까지 벌게 된 사연

새로운 변화의 수단으로 그들 눈에 띈 것은 사람들이 많이 들고 다니던 아이폰이었다. 컴퓨터와 같은 역할을 하는 스마트폰에 신용카드를 인식하는 동글을 부착하면, 크고 무거운 카드 단말기가 필요 없을 것이다. 시제품은 그로부터 한 달 만에 만들어졌다. 창업자들은 각자의 역할을 나누었다. 서버 개발은 잭 도시가, 신용카드 인식기는 짐 매켈비가 맡았다. 아이폰용 앱 개발은 트리스탄 오터어니를 영입했다. 스퀘어는 제품 시연 시점부터 창업자들에게 돈을 벌게 해 주었다. 투자자들에게 스퀘어를 시연하면서, 아이폰에 꽂혀 있는 인식기에 각자 가지고 있는 신용카드를 직접 긁어 보도록 한 것이다. 그런 식으로 몇 군데를 돌면 교통비와 밥값 정도는 나왔을 것 같다.

컨퍼런스에 나가서 제품을 시연한 후 코슬라 벤처스로부터 첫 번째 주요 투자를 유치하게 된다. 그 후로도 벤처 투자사에서 투자를 유치하는 데 성공했고, 《월스트리트 저널》의 평가에 의하면 2011년 말 기준으로 스퀘어의 가치는 이미 1조 원을 넘어섰다.

단순함의 미학이 빚어 낸 경쟁력

그러면 스퀘어의 서비스를 좀 더 자세히 들여다보도록 하자. 개인이나 영세 사업자로서 물건을 팔 때 카드 결제를 하고 싶다면, 스퀘어 사이트에 들어가 통장 계좌번호 등을 입력한다. 그러면 2~3일 후 엄지손톱만한 크기의 공짜 카드 인식기가 집에 도착할 것이다. 이 장치를 아이폰 등의 이어폰 잭에 꽂고, 앱스토어에서 스퀘어용 앱을 다운로드 하면 사용 가능한 상태가 된다. 지금부터는 벼룩시장에 나가서도 물건을 팔 수 있다. 물건을 구매하겠다는 사람이 나타나면, 파는 사람이 스퀘어 앱에 가격을 입력한다. 그리고 물건 살 사람이 신용카드를 카드 인식기에 긁고 서명을 한다. 이때 영수증을 받을 전화번호와 이메일 주소도 같이 남긴다. 보안상의 이유로 판매자의 핸드폰에 이런 정보들은 저장되지 않는다. 스퀘어 서비스에도 구매자의 전화번호, 이메일 등 일부만 남고, 중요한 카드 정보는 저장되지 않는다.

　스퀘어는 초기부터 판매자들이 편하게 이용할 수 있는 방법을 제공하려 애썼다. 기존에 카드 거래를 원하던 판매자들이 가지고 있던 문제는 이렇다. 은행에 가서 거래를 개설하려면, 우선 신용도를 점검받아야 한다. 또한 카드 단말기도 공짜가 아니고, 비싼 경우 수십만 원에 달했다. 일단 카드 단말기를 설치하면, 한 건의 거래가 없는 달에도 2만 원 남짓한 기본료를 내야 했다. 스퀘어는 이런 모든 사항을 전부 없애 버리거나 최소화했다. 기존에는 카드사마다 결제 수수료율이 다르고, 총 부담해야 할 수수료도 쉽게 파악할 수 없었다고 한다. 스퀘어는 판매자가 부담해야 할 수수료율을 통상적인 경우 2.75%로 통일했다.

잭 도시는 《테크놀로지 리뷰》 매거진과의 인터뷰에서 스퀘어가 한 일은 기본적으로 복잡한 것을 단순하게 만드는 작업이었다고 밝힌다. "저는 무엇인가를 단순화하는 데 정말 재능이 있습니다. 사람들은 디자인이란 것을 단지 보여 주는 것으로 여기지만, 저는 편집하는 것이라고 생각합니다. 정말로 잘 디자인된 제품을 볼 때, 제가 사랑스럽게 생각하는 부분은 당신이 그 제품에 대해서 의식하지 않도록 해 준다는 것입니다." 카드를 긁는 영역만 남기고 다 없애 버린 스퀘어 카드 인식기의 모양새에서도 이런 철학을 그대로 느낄 수 있다.

경쟁사인 인튜이트^{Intuit}나 베리폰^{VeriFone} 등도 스마트폰에 부착할 수 있는 카드 인식기를 내놓았지만, 공짜로 카드리더를 뿌리는 것만큼은 부담스럽다. 가장 적은 부품만으로 카드 인식기를 구현한 것이 스퀘어의 큰 경쟁력이 된 것이다.

아이폰4와의 안 맞던 궁합과 커지던 소비자 불만

스퀘어를 처음 세상에 내놓고 시범 서비스를 실시하는 동안 몇 가지 문제점이 발견되었다. 우선 스퀘어의 상징이라고 할 수 있는 카드 인식기 자체의 인식률이 생각보다 떨어져서, 신용카드로 결제를 하려면 몇 번씩 내리 긁어야 하는 경우가 종종 있었다. 만약 식당에서 신용카드로 결제할 때, 결제가 안 되었으니 카드를 다시 긁겠다고 하면, 상당히 찜찜할 것이다. 실제로는 여러 번 결제되었을 수 있으니 불안한 것이다. 스퀘어는 품질 관리와 연구 개발을 통해, 이 문제를 상당 부분 해결한다.

아이폰4가 출시되자 또 생각지 못한 문제가 발생했다. 아이폰4는 데스 그립^{Death Grip}, 즉 손으로 아래쪽을 쥐면 수신율이 떨어지는 문제를 일으켜 스티브 잡스를 곤란하게 했던 제품이다. 이 제품에 기존 카드 인식기를 꽂으면, 안테나 신호가 인식기에 간섭을 일으켜서, 카드 인식이 잘 안 되었다. 급한 대로 아이폰과 카드 인식기 중간에 종이를 끼워 넣어서 사용하는 사람들도 있었다. 이러한 기술적인 문제 역시 나중에 해결되었다.

스퀘어는 카드 남용으로 인한 사고 방지 차원에서, 초기에는 1회 결제 한도를 12만 원(100달러)으로 제한했다. 하지만 이런 한도 제한 때문에, 비싼 물건을 살 경우, 사람들은 카드를 여러 번 나누어 긁어야 해서 몹시 불편했다. 그래서 결제 한도를 없애고, 대신에 일주일에 120만 원(1000달러) 이상 사용된 금액은 30일이 지나야 판매자에게 돈이 입금되도록 바꾸었다. 카드 남용을 막고, 중간에 카드 승인 취소가 이루어지면, 환불이 용이하도록 하기 위한 목적이다. 일반 소비자들은 못 느끼지만, 스퀘어는 1회 결제 한도를 없애면서 위험 관리를 위한 조치 및 프로세스에 더 많은 공을 들이고 있다.

경쟁사의 움직임도 있었다. 매장용 카드 단말기 시장을 석권하고 있던 베리폰은 스퀘어를 사용하면 카드 정보가 해킹될 수 있다고 주장한다. 스퀘어 카드 인식기에서 스마트폰으로 암호화되지 않은 카드 정보가 전송되기 때문이다. 스퀘어는 이 역시 암호화해서 처리함으로써 대응한다.

스퀘어는 끊임없이 시장의 요구에 대응하면서, 빠르게 진화하고 있다. 《테크놀로지 리뷰》와의 인터뷰에서 잭 도시는 다음과 같이 이야기한다. "저는 많은 실수를 하고, 또 그것으로부터 배워야 한다고 생각합니다. 사용자가 그것 때문에 해를 입지 않는 한, 실수란 좋은 겁니다." 실수로부터 끊임없이 배우고, 소비자 입장에서 신속하게 서비스를 개선해 나간 것이 현재의 스퀘어를 있게 한 힘임을 확인케 하는 대목이다.

현금이 불필요한 시대를 위한 계속되는 도전

스퀘어 하면 떠오르는 것이 하얀색의 네모난 카드 인식기다. 그래서 사람들은 스퀘어를 카드 인식기를 만드는 제조사로 생각하기도 한다. 하지만 창업자들은 스퀘어를 하드웨어로 생각하지 않는다. 오히려 소프트웨어 회사라고 여긴다. 이러한 관점은 미래지향적이라고 볼 수 있는데, 그 이유는 조만간 카드 인식기능 자체가 스마트폰 속에 녹아 들어가는 상황이 올 것이기 때문이다.

스퀘어는 이러한 시대 변화를 읽고 그에 맞게 준비 중이다. 우선 판매 현황에 대한 분석 자료를 판매자에게 제공하고 있다. 지난 매출 추이를 보며, 어느 제품이 언제 많이 팔렸는지 등을 그래프로 쉽게 보여 준다. 이전에는 스타벅스 같은 대형 매장에서나 가능하던 판매 분석 기법을 대중화하려 한다고 하겠다. 또 다른 접근법으로는 소비자 입장에서 카드를 사용하는 과정을 혁신적으로 간소화하는 것이다. 소비자 입장에서 가장 간편한 카드 사용의 시나리오는 무엇일까. 아메리카노 커피를 사러 커피 전문점에 들렀을 때, 커피를 주문하면 지갑을 열지 않아도 알아서 커피 값이 결제되는 것이 아닐까.

스퀘어가 새로 내놓은 카드 케이스와 레지스터 서비스가 이런 새로운 차원의 카드 결제 경험을 가능하게 해 줄 것이다. 카드 케이스는 일반 소비자들이 자신의 카드 정보를 스퀘어 웹사이트에 등록해 놓고, 아이폰 앱을 통해 매장에서 카드를 쓸 수 있도록 한 것이다. 레지스터는 기존의 매장 결제 단말기를 대체하기 위한 것이다. 각각 카드 사용자와 매장을 위한 앱이라고 하겠다. 일단 매장주가 아이패드에 레지스터 앱을 설치하면, 카드를 가진 고객들은 스퀘어 카드 인식기를 통해 음식 값 등을 결제할 수 있다. 카드 케이스를 사용하는 소비자들의 경우 카드를 긁는 행위조차도 불필요해진다. 신용카드를 긁지 않아도, 카드 케이스에 등록된 정보가 레지스터 앱에 전송되어 결제가 이루어진다. 보통은 소비자가 앱을 실행하고 결제 요청 버튼을 누르면, 매장 카운터에 있는 직원은 이런 요청 목록을 조회한 후, 결제할 금액을 입력한다. 소액 주문인 경우에는 서명을 하지 않아도 된다. 소비자 입장에서는 결제시마다 버튼을 누르는 것조차 불편할 수 있다. 이런 경우 소비자는 자신이 종종 들르는 매장을 설정할 수 있다. 해당 매장에 들어서면, 기본적으로 자동 결제 요청이 이루어진다. 카드 케이스가 활성화된다면, 매장에서 주문하고 결제하기 위해 줄을 서는 풍경을 찾아보기 힘들 수도 있을 것이다. 카드 케이스의 또 다른 장점은 매장별로 구비해 놓은 메뉴나 이벤트 정보들도 같이 보여 줄 수 있다는 것이다.

개인 간 거래를 위한 틈새 결제 서비스로 시작하여, 소상공인, 일반 매장으로 그 범위를 확대하고 있는 스퀘어는 이제 현금을 가지고 다니지 않아도 일상생활이 가능한 미래 소비생활을 꿈꾸고 있다. 기존에 카드회사 등이 기득권을 쥐고 있던 시장에서, 스퀘어와 같은 기업들에 의해 오랜만에 변화의 바람이 불고 있는 것이다.

스퀘어에서
얻   은
교   훈   !

네모나고 조그만 하얀색 카드 인식기로 사람들에게 강한 인상을 남긴 스퀘어는 이제 개인 간 거래뿐만 아니라, 매장 내에서도 활용될 수 있도록 그 범위를 넓혀 가고 있다. 브랜드 자체도 비자나 마스터 카드처럼 스퀘어를 하나의 또 다른 가맹 브랜드로 밀고 있기도 하다. 매장 밖에서 보면, 비자, 마스터 외에 스퀘어의 네모난 로고가 붙어 있는 곳들이 늘고 있다. 오랫동안 비자와 마스터가 양분하던 신용카드 가맹 브랜드 속에 스퀘어가 어느 정도 자리를 잡을지 궁금해지는 대목이다.

그러면 스퀘어로부터 배울 만한 교훈에 대해 살펴보도록 하자.

우선 첫 번째 교훈으로, 사용자와 관련된 모든 제안을 가능한 단순화하라는 것을 들 수 있다. 이는 창업자인 잭 도시 역시 강조했던 말이기도 하다. 가장 강력한 기술은 보이지 않는 기술이다. 사용자들이 굳이 의식하지 않아도, 알아서 사용자의 요구에 따라 움직여 주는 기술을 의미한다. 사용자가 존재를 모르면 모를수록 그 드러나지 않는 기술은 좋은 것이다. 스퀘어의 경우는 네모난 카드 인식기부터가 단순함의 절정이었다. 카드를 긁는 부분을 제외하고는 나머지 부분은 없다고 봐도 좋을 정도이다.

이러한 단순함은 몇 가지 가치를 창출했다. 우선 너무 단순하기 때문에 사용자들의 시선을 끌었다. 두껍고 둔해 보이는 타사의 스마트폰용 카드 인식기에 비해 스퀘어는 깜찍하고, 쿨해 보이기까지 했다. 야외에서 손톱만한 조그만 물건에 카드를 긁는 모습을 지나가는 사람들이 본다면, 누구나 한번쯤 멈춰 서서 구경하려 하지 않을까. 이런 단순함이 곧 독특한 디자인적 미학을 낳았다. 스퀘어가 크기를 줄일 수 있었던 가장 큰 이유는 이어폰 잭을 연결수단으로 사용했기 때문이다. 신용카드를 긁으면, 정보를 소리로 바꾸어 스마트폰으로 보낸다. 경쟁사들의 카드 인식기는 대부분의 액세서리가 그렇듯이, 아이폰 하단의 길게 파인 홈에 꽂도록 되어 있다. 크기에서 차이가 날 수밖에 없는 구조이다.

스퀘어는 또한 카드 인식기를 신청하기까지의 프로세스와 사용자가 카드를 사용할 때의 절차를 간소화했다. 기존에는 은행에 가서 신용도를 체크하고, 가맹점 등록 등 절차를 거쳐야 카드 인식기 사용이 가능했다. 스퀘어의 경우 홈페이지를 통해서 간단한 정보와 주소를 입력하면, 우편으로 스퀘어 카드 인식기가 배송된다. 앱스토어에서 스퀘어 앱을 다운로드 받은 후, 로그인해서 바로 사용할 수 있다. 스퀘어가 대표 가맹사 역할을 하기 때문에 행정적인 부분이 간소화된 것이다.

사용자가 스퀘어를 통해 카드를 긁을 때도, 소액일 경우는 서명이 불필요하며, 영수증은 이메일로 보내준다. 전화번호를 입력하는 등의 번거로움이 있을 수는 있지만, 개인 간 거래의 경우 이 정도는 감내할 수준인 것 같다. 국내에서도 현금영수증을 처리하려면, 전화번호 등을 입력하는 경우가 흔하니 말이다.

카드 케이스를 통한 결제 시나리오는 또 다른 단순화의 모습을 보여 준다. 카드 케이스를 사용하는 경우, 자주 방문하는 매장을 등록해 놓으면, 나중에 해당 매장으로 들어갈 때, 자동으로 결제 요청 상태로 바뀐다. 결제가 됨과 동시에 핸드폰으로 결제가 됐다는 문자메시지가 뜨기 때문에, 임의로 매장에서 결제 처리를 할 수가 없다. 지갑에 있는 카드나 핸드폰조차도 결제 과정에서 사용할 필요가 없는 것이다. 카운터 앞에 가서 커피 한 잔 주문하고, 바로 받아서 나오는 모습만큼 단순화된 결제 시나리오가 있을까.

두 번째 교훈으로는 실수를 통해서 배우라는 것이다. 스퀘어의 창업자들은 아이디어가 어느 정도 구체화되자 바로 행동을 개시한다. 각자 역할을 나누어서 시제품 제작에 들어간 것이다. 한 달도 안 되어서 시제품 개발이 완료되자, 바로 투자자를 찾으러 돌아다닌다. 이미 사업에 경험이 있는 창업자들이어서, 신속하게 해야 할 일들을 찾아서 진행했겠지만, 이러한 신속한 행동은 본받을 만하다. 일반적인 경영대학원을 나온 사람들이 사업을 하는 경우, 사업계획서에 너무 집착하는 경향이 있다. 그러기에는 세상이 너무 빠르게 바뀌고 있다. 실수하고 배우더라도, 좀 더 빨리 움직이는 편이 나을 수도 있는 것이다.

인터넷이 세상에 모습을 드러내고, 얼마 후에 인터넷으로 책을 파는 사업을 떠올리게 된 제프 베조스는 높은 연봉을 받으며, 괜찮은 직장에 다니고 있었다. 그는 서둘러 사표를 내고, 회사 설립 신고를 하고, 멀리 떨어진 곳에 사무실을 계약하고, 차로 달리면서 많은 일을 처리했다. 그에게는 일분 일초가 중요한 순간이었다. 그렇게 총알처럼 회사를 만들고, 온라인 서적 쇼핑몰을 오픈한 것이 지금의 아마존 쇼핑몰이 되었다. 아마존이 이미 전 세계에서 가장 큰 쇼핑몰임은 설명이 필요 없을 것이다.

실수를 통해서 배우려면, 완벽한 계획보다는 시행착오를 통해서 교훈을 얻는 게 나을 것이다. 그렇기 때문에 속도를 위해서 준비에서 오는 편안함을 포기할 수 있는 것이다. 스퀘어의 창업자나 아마존 쇼핑몰의 창업자도 사업계획서를 만드는 데 한 달을 넘게 보내지 않았다. 물론 어느 시점에서는 사업계획서도 필요했겠지만, 그 이전에 시제품이라는 것을 통해 개념 검증하는 것이 더 중요할 수 있는 것이다. 시제품을 중요시하는 것은 디자인 컨설팅 회사로 유명한 아이데오^{IDEO}의 철학이기도 하다. 시제품도 하나로 끝내지 않고, 계속 수정을 반복하며, 시제품을 보고 토론하는 것이 가장 좋은 아이디어의 밑거름이 된다.

실수를 통해 배우려면 실수를 마치 실패처럼 받아들이지 않고, 과정적으로 용인하고 긍정할 수 있는 자세가 필요하다. 초기에 카드 인식기가 잘 작동하지 않아, 여러 번 카드를 긁어야 하는 경우도 있었지만, 충분히 바로잡을 수 있었다. 또한 미처 적용하지 못한 보안 처리 부분을 경쟁사가 들고 나왔을 때도, 신속하게 대처하여 암호화한다. 어찌 보면 실수가 용인되는 상황은 빠르게 이 실수를 깨닫고,

고쳐 나가는 자세가 있을 때 성립된다고 하겠다. 그리고 하나의 실험에서 데이터를 얻는 것처럼, 실수도 무언가 의미 있는 것을 제시해 준다. 실수를 덮는 데 급급하기보다는 실수가 발생한 원인과 이로부터 개선할 부분들을 찾는 것에 더 집중하는 편이 좋다.

중요한 과학적 발견 중 실수로부터 나온 것들은 많다. 배양액에 푸른곰팡이균이 날아들어 와 우연히 발견하게 된 것이 페니실린이다. 나일론의 경우도 다른 목적의 실험을 하다가 찌꺼기가 남아 여기에 불을 쬐어 제거하려다 보니, 실과 같은 물질이 나오는 것을 보고 발견하게 되었다. 에디슨의 경우 전구를 발명하기까지 1500번의 실험을 했다고 한다. 특히 빛을 내면서도 끊어지지 않는 필라멘트 소재의 발견이 어려웠다. 나중에 그는 필라멘트 소재로 적합하지 않는 1500가지가 무엇인지 알게 되었다고 이야기한다. 이처럼 실수를 용인하는 것은 실험을 통해 발견할 수 있다는 것을 받아들이는 자세이다.

실수를 두려워하지 않고, 빠르고 집중해서 움직이는 초기 기업은 과연 세상에 변화를 가져올 만하다. 이제 스퀘어의 시장가치는 이 책을 쓰는 와중에도 계속 올라가서, 5조 원 가까이 되었다는 이야기도 들린다. 스퀘어가 2011년 한 해 동안 처리한 거래 금액도 5조 원 정도 되는 것으로 발표되었다. 불과 몇 년 만에 페이팔, 비자 같은 곳과 어깨를 견줄 만한 위치에 오른 스퀘어의 앞날이 더욱 기대된다.

03 크리에이터를 위한 21세기 르네상스를 꿈꾼다, 킥스타터^{KickStarter}

철수 씨는 식품 관련 학과를 졸업했고, 최근에는 건강음료에 대해 관심을 많이 두고 있다. 어느 날 여러 가지 음식에 많이 들어가는 마늘을 이용하면, 몸에 좋은 건강음료를 만들 수 있을 것 같은 생각이 들었다. 마늘은 맵고 독특한 맛을 내면서, 강장제로도 쓰이고 있다. 며칠간 집에서 믹서를 돌려 가며 연습한 끝에, 드디어 적당히 쏘는 맛이 나면서, 상쾌한 느낌이 나는 마늘 건강음료를 만들었다. 가족이나 친구들도 맛을 보더니 만들어 한번 팔아 보자고 한다. 하지만 어떻게 만들어서 시중에 유통하고, 생산과 마케팅 비용을 마련할지 엄두가 나지 않았다. 그로부터 딱 한 달 후 철수 씨는 자기 이름을 내건 식음료 회사의 사장이 되어 있었다. 걱정하던 자금 문제도 해결되었다. 더 좋은 것은 물건을 사 줄 고객들이 수천 명이나 줄지어 기다리고 있는 상태라는 것이다. 여기저기 음식점에서도 철수 씨가 마늘 음료를 만들면 가게에 납품해 달라고 전화가 온다. 철수 씨에게는 그 사이에 무슨 일이 일어난 것일까.

DJ 초청 공연을 준비하며 마음속에 떠오른 의문

세상에는 두 가지 종류의 일이 있다. 돈을 벌어다 주는 일과 그렇지 않은 일이다. 특히 지속적으로 돈을 벌어다 주는 일은 기업의 형태로 발전한다. 이와 반대로 예술과 관련된 분야는 많은 경우 당장 돈이 되기 어렵다. 그러면 돈을 벌지 못하는 일은 가치가 없는 걸까. 아마 그렇게 생각하는 사람은 많지 않을 것이다. 돈이 아닌 비재화적인 가치가 더 중요하다는 것을 가슴이 말해 주기 때문이다. 그러면 당장 돈을 벌지 못하는 일임에도 가치가 있는 일들은 어떻게 자금조달이 가능할까. 보통은 가족, 친구, 그리고 운이 좋은 경우 후원자를 통해서 이루어진다. 이제 모든 사람들이 이렇게 세상을 가치 있게 하는 창의적 프로젝트들에 후원할 수 있는 새로운 방법이 생겼다. 아티스트들이 만든 신개념 벤처, 킥스타터^{KickStarter}가 그 주인공이다.

킥스타터는 2005년경 페리 첸과 얀시 스트리클러가 뉴욕 브루클린의 한 식당에서 대화를 나누다가 만들어지게 되었다. 당시 페리 첸은 식당에서 웨이터로 근무하고 있었고, 얀시 스트리클러는 음악 저널리스트로 일하고 있었다. 페리 첸은 일반인들이 예술가들을 단체로 후원해 주는 사업을 해 보면 어떨까 이야기하고, 그 둘은 의기투합하여 같이 사업을 준비하기로 결정한다. 페리 첸이 이런 종류의 사업이 필요하다고 느낀 시점은 좀 더 과거로 거슬러 올라간다.

2002년경 평소 음악을 좋아하고, 아트 갤러리 관련 일도 했던 페리 첸은 호주 출신 DJ 두 명을 미국으로 초청해 공연을 열 계획을 세운다. 하지만 각종 준비 비용을 합치니 3000만 원이 필요했다. 손해를 안 보려면 관객이 많이 들어야 하는데, 여기에 대해서 확신이 서지 않았다. 결국 공연은 이루어지지 못했고, 페리 첸은 관객들이 미리 표 값을 내고, 그 돈으로 비용을 충당하는 방법은 없을까 하는 의문을 품게 된다.

"대부분의 아이디어는 충분한 후원을 얻지 못합니다. 또한 대부분 매출이 안 나기도 하고요." 공영 라디오 방송과의 인터뷰에서 페리 첸은 돈을 벌지 못하는 아이디어도 후원이 필요하다고 주장한다. 특히 그는 예술 분야에 관심을 가지고 있었다.

오랜 기다림, 그리고 크리에이터를 위한 벤처의 탄생

페리 첸과 얀시 스트리클러는 주로 음악 관련 분야에 있었기 때문에 컴퓨터에 익숙지 않았다. 그래서 웹 에이전시에서 디자이너로 일하던 찰스 애들러가 창업자로 합세한다. 나중에 사이트 개발은 직원을 채용해서 해결하였다. 그리고 2009년 4월에 킥스타터 사이트가 오픈하게 된다. 여기서 한 가지 눈에 띄는 부분은 특이할 정도로 긴 준비 기간이다. 창업자들이 킥스타터를 시작하기로 마음먹은 시점은 2005년인데, 오픈 시점까지 4년 가까운 시간이 흘렀다. 왜 이렇게 오랜 시간이 필요했던 것일까.

창업자 중에 개발을 잘 아는 사람이 없었다는 점이 하나의 원인일 수 있을 것 같다. 투자를 받지 않은 상태에서 내부 개발자 없이 사이트를 만들려면 돈을 주고 개발을 맡기는 수밖에 없다. 하지만 보통 이런 경우는 개발 비용을 조달하는 것도 문제지만, 수시로 변할 수밖에 없는 사이트의 기능과 디자인을 용역으로 해결하는 과정에서 문제가 생기기 쉽다. 사업 아이디어가 비전이 있는 경우, 개발비 대신 주식이나 수익 배분의 방식으로 해결하는 경우도 있다. 하지만 킥스타터의 아이디어는 사람들에게 크게 돈이 될 것이라는 믿음을 주지 못했을 것이다.

당시만 해도 여러 사람들이 가난한 예술가들을 후원하기 위해 돈을 내는 것이 가능하다고 생각하는 사람은 많지 않았다. 2008년 7월경 《아이엔시^{Inc}》 매거진에 실린 기사에서도 현실적인 점검 항목에 다음과 같이 씌어 있다. "이 사업은 많은 사람들이 예술과 새로운 시도를 지원해야 가능하다. 정말로 사람들이 그 정도로 관대하다고 봐야 하나?" 킥스타터 자체가 전혀 새로운 시도였기 때문에, 서비스의 기본적인 가설인 사람들의 후원이 가능할지 의문시될 수 있다. 이는 투자를 받기 위한 과정이 순탄치 않았음을 의미한다.

"하지만 우리 모델의 뛰어난 점은 회원들이 우리를 위해 홍보까지 해 줄 거라는 점입니다. 누군가 우리 사이트에 후원 요청을 올린다면, 자신의 친구들에게도 알리려 할 거예요." 《아이엔시》 매거진과의 인터뷰에서 페리 첸은 충분한 장점도 어필하는 것을 잊지 않는다. 2008년에 2억 원이 조금 넘는 돈이 몇몇 사람들에게 투자받아 모이게 된다. 투자자들 중에는 예술과 공연 계통에 있는 사람들도 포함되어 있었다. 이후 사이트 개발을 진행하여 2009년에 정식으로 오픈한다. 개발이나 투자 과정은 지루할 정도로 오래 걸렸지만, 창업자들이 예술 계통에 있었기 때문에, 이후에 프로젝트를 발굴하고 지인들에게 소개하는 과정에서는 충분한 강점을 발휘한 것 같다.

초기에 올렸던 프로젝트에는 친구들과 같이 진행한 '뉴욕이 책을 만들어요'라는 것도 있었다. 뉴욕에 대한 글과 그림을 사람들이 메일로 보내주면, 이를 모아서 잘 편집해 한 권의 책으로 내는 것이다.

책의 내용도 시민들에게도 받고, 출판 및 편집비용도 후원받는 일석이조 효과를 노렸다. 110명이 후원하여, 목표액 360만 원 이상을 달성했다.

십시일반의 마음을 모아 크리에이터를 돕는다

창업자들은 프로젝트에 직접 여러 프로젝트에 개인적으로 후원하기도 한다. 얀시 스트리클러는 즉석 사진 한 장을 우편으로 받은 적이 있다. 정글에서 찍은 사진은 에밀리 리처드슨이 여행 중에 찍은 것이다. 그녀는 보트를 타고 세계 일주를 하는 프로젝트를 킥스타터에 올렸고, 얀시 스트리클러 역시 그녀를 후원했다. 사진은 1만 8000원 이상 후원한 사람들에게 그녀가 보내기로 약속한 선물이었다. 1200원을 후원한 사람들은 보트 안에 이름이 새겨진다. 150만 원을 후원한 사람들은 좀 더 후한 보상을 받는다. 그녀가 열대지방에서 직접 손으로 딴 코코넛을 우편으로 보내기로 한 것이다. 그러면 사람들은 2년간 3만 8000km를 보트를 타고 여행하겠다는 그녀의 프로젝트를 왜 후원했을까. 누구나 세계 일주 여행에 대한 로망은 가슴 한구석에 있다. 그녀의 무모하면서도 용감한 도전에, 가슴 한구석에 밀어 두었던 과거의 열정이 꿈틀댔을 수도 있다. 실제로 후원자들은 그녀의 도전 프로젝트를 이와 같은 이유로 지원한 경우가 많았다.

그러면 킥스타터는 어떤 식으로 운영되고 있을까. 누구든 후원이 필요한 프로젝트가 있다면 이를 사이트에 직접 무료로 등록할 수 있다. 등록된 프로젝트는 킥스타터의 기준에 부합될 경우에만 일반인들에게 노출된다. 그 기준이라는 것은 창의적이고, 도전적인 프로젝트인지, 그리고 영화 음악 패션 미술 기술 등의 범주에 해당하는지이다. 얼마의 금액을, 어느 정도의 기간에 모을지는 순전히 프로젝트를 올리는 도전자들이 설정하기 나름이다. 창업자들에게 프로젝트 등록료를 받을 생각이 없었던 것은 아니지만, 이를 무료로 하기로 결정한다. 별다른 수익모델이 없다가, 서비스가 활성화되고 난 비교적 최근에 와서야 후원금 모집이 성공하는 경우 모금액의 5%를 수수료로 받고 있다. 여기에 결제 수수료를 뗀 나머지 금액이 예술가 등에게 입금된다.

킥스타터에는 몇 가지 참고할 만한 정책이 있다. 우선 프로젝트의 목표 금액이 달성되어야만 후원금을 받을 수 있다. 금액이 미달되면, 아예 후원금 자체가 없는 도 아니면 모 게임이다. 여기에는 나름의 이유가 있는데, 당초 예상보다 모자라는 후원금만으로 진행하다 보면, 프로젝트 자체가 실패할 가능성이 높아지기 때문이다. 후원금의 수준에 따라 어떤 보상을 할 것인가는 프로젝트를 등록하는 사람이 정하게 되어 있다. 킥스타터는 대출이나 회사 주식을 사는 자본투자 방식은 취급하지 않는다. 그래서 직접 찍은 폴라로이드 사진이나 손수 나무에서 딴 코코넛을 우편으로 받는 것 같은 류의 보상이 주를 이룬다. 투자 대비 효과라는 측면에서는 답이 안 나온다. 감성적인 면에서 얻는 이익을 정량화할 수는 없을 테니 말이다. 또한 킥스타터는 프로젝트 실패 또는 약속된 보상이 이루어지지 않는 등의 문제에는 직접 책임을 지지 않는다. 당사자 간의 문제로 명시하고 있다. 단, 후원금 모집이 성공한 후에는 프로젝트의 목적, 보상할 내용들을 수정할 수 없도록 최소한의 장치만 하고 있다.

"어떤 일을 하고, 얼마나 많은 돈이 필요한지는 순전히 당신이 정하기 나름입니다. 투자나 대출하고는 다르죠. 후원하는 것과 물건을 사는 것의 중간쯤 있다고 할까요." 페리 첸은 국영 라디오 방송과의 인터뷰에서 킥스타터의 성격을 잘 설명했다. 세계 일주를 지원하는 것은 단순 후원이지만, 배를 타고 나가서 잡은 물고기로 초밥을 만들어 보내주겠다고 하면 상거래가 된다. 만약 2002년도에 킥스타터와 같은 서비스가 있었다면, 페리 첸은 공연에 필요한 비용 1800만 원을 후원금으로 모집하고, 대신에 공연이 성사되면, 공연 티켓을 후원자들에게 보내줄 수 있었을 것이다. 게임이나 출판, 영화처럼 콘텐트의 복제가 가능한 프로젝트에서는 대부분 일정금액 이상을 후원한 사람들에게 만들어진 상품을 보내주고 있다.

스토리의 힘으로 만들어 낸 수만 개의 기적

싱크위드구글^{ThinkWithGoogle} 행사의 인터뷰에서 얀시 스트리클러는 이야기한다. "그들이 만드는 건 마케팅 계획서나 브랜드 구조가 아니에요. 왜 그 프로젝트를 하려고 하고, 여정과 최종 목적지가 무엇인지 이야기를 하는 거죠." 이야기는 킥스타터 전체를 이끌어 가는 힘이기도 하다. 후원의 목적에 금전적인 것이 약한 대신, 사람들은 이야기에 반응한다. 이를 입증하듯이 개인 비디오를 동영상으로 올리

킥스타터 최고의 히트 프로젝트가 된 스마트 시계 프로젝트, 페블 (Pebble)
이미지 출처-페블 테크놀로지에서 제공(Image courtesy of Pebble Technology)

는 경우가, 그렇지 않은 경우에 비해 60%가량 후원금 모집이 잘 되고 있다. 후원금이 달성된 후에도 프로젝트 진행상황은 계속 공유되도록 하고 있다. 어떤 참가자들은 직접 포럼을 운영하며 후원자들을 챙기기도 한다.

그러면 킥스타터를 통해서 진행된 프로젝트 중 가장 인기 있는 품목은 무엇일까. 바로 시계다. 우연인지 몰라도 가장 주목을 받았던 프로젝트 중에 손목시계 관련한 것이 두 개나 들어가 있다. 첫 번째는 정사각형 모양의 신형 아이팟 나노를 손목시계로 바꿔 주는 시곗줄을 만드는 프로젝트였다. 엄청난 인기를 끌었고, 아이팟 나노가 없던 사람들조차도 시곗줄이 생기면, 그때 아이팟 나노를 사겠다고 했다 한다. 이 프로젝트는 킥스타터 초기에 대표적 블록버스터로 이름을 올린다.

또 다른 시계 프로젝트는 최근 2012년 4월경에 나왔다. 제목은 페블 이페이퍼^{Pebble E-Paper}다. 손목시계 화면이 전자종이로 되어 있고, 스마트폰과 무선으로도 연결되기 때문에 이메일 확인, 음악 듣기, 앱 실행을 스마트폰을 꺼내지 않고도 할 수 있다. 이 시계는 제품의 개발이 완료되지 않은 상태에서 60억 원 가까운 후원금을 모은다. 킥스타터 역사상 최고의 기록이다. 원래 이 프로젝트의 후원금 목표는 1억 원 남짓이었다. 60배 가까이 초과 달성한 것이다. 초과달성의 경우 금액이 그대로 인정된다. 후원자 수도 3만 4000명가량 되었다. 더 놀라운 것은 이 책을 쓰는 시점에 아직 후원금 모집까지 29일이나 남은 것이다. 최종적으로 120억 원 남짓한 후원금이 모였다.

그렇다고 킥스타터에 시계 만드는 프로젝트만 있는 것은 아니다. 현재까지 만 개 이상의 프로젝트가 후원금 모집에 성공했다. 그중에는 영화, 음악 관련된 프로젝트가 가장 많은 비중을 차지했다. 그다음으로 디자인, 예술, 출판 등이었다. 최근에도 빅 히트를 기록한 프로젝트가 게임과 출판에서 나왔다. 오래전에 만들었던 유명 게임의 후속작을 내거나 절판된 만화책을 다시 출판하는 식이다. 베스트셀러였던 책을 영화화하는 프로젝트도 있었다.

킥스타터는 2011년에 1만 2000개가량의 프로젝트를 성사시켰고, 1200억 원 가까운 후원금이 모였다. 등록된 프로젝트 중 후원금 목표를 달성한 프로젝트 비율도 46%에 달했다. 프로젝트 건수나 후원금 규모는 전년 대비 두 배 이상씩 성장하고 있다. 이제 킥스타터의 성장은 본격적인 궤도에 올라선 느낌이다. 2012년에는 후원금 규모가 1800억 원 정도는 될 것으로 보고 있다. 서른 명 남짓한 팀으로 꽤 큰 금액의 서비스를 운영하고 있다고 하겠다.

군중에 의해 신(新)메디치 시대를 열다

"(킥스타터의) 모델은 여러 가지 것에 적용될 수 있다고 생각해요. 바로 그게 흥분되는 부분이죠." 초기 투자가로 참여한 잭 도시는 《와이어드》와의 인터뷰에서 킥스타터는 앞으로 꼭 예술 분야가 아닌 쪽으로도 얼마든지 확장될 수 있음을 이야기한다. 여기에는 후원금뿐만 아니라, 이론상 초기 기업에 대한 자본 투자와 대출 등도 포함될 수 있다. 이론상이라고 굳이 언급한 이유는 창업자들의 성향으로 봐서, 그럴 가능성이 높지 않아 보이기 때문이다. 음악과 디자인 등 예술 방면의 배경을 가지고 있고, 지속적인 매출을 낼 수 없는 아이디어도 세상에 빛을 봐야 한다는 창업자들의 철학에 비추어 봤을 때의 이야기다.

아주 오래전에 르네상스를 가능케 했던 것은 피렌체에서 다양한 분야의 학자들이 교류할 수 있었기 때문이다. 이러한 문화적인 융합을 후원했던 곳이 그 유명한 메디치 가문이다. 유럽 등에서는 예술가들을 귀족들이 후원하는 경우가 흔했다. 우리가 알고 있는 유명 음악가 등의 첫 작품은 이런 후원으로 만들어진 경우가 많다고 한다. 이제 부자들이 하던 후원의 모양새가 바뀌고 있다. 일반인들이 직접 예술가와 창의적 도전을 꿈꾸는 사람들을 지원하는 것이다.

미국에 있는 국가예술기부재단[NEA]의 2012년 예산이 약 1750억 원(1억 4600만 달러)이라고 한다. 킥스타터의 후원금 모집 예상금액인 1800억 원보다 적은 금액이다. 이는 정부가 아닌 일반 시민들이 직접 예술가 등을 지원하는 금액이 더 많아졌다는 의미기도 하다. 상징적인 의미가 큰일이라고 할 수 있겠다. 이렇게 창의적인 도전이 많아지면, 과학뿐 아니라 예술 분야도 중흥의 계기를 맞을지 모른다. 아마 제2, 제3의 피카소나 고흐, 모차르트나 괴테가 나올 확률이 더 높아질 것이다.

킥스타터는 빠른 성장과 동시에 새로운 과제들도 안고 있다. 현재는 미국 내 은행계좌를 가진 사람들만 프로젝트를 등록할 수 있다. 전 세계적으로 발돋움하기 위해서는 이런 제약이 없어져야 한다. 후원금 규모가 커지고, 상품을 만들기 전에 선구매하는 형태의 프로젝트가 늘어나면서 거래 안전장치도 추가되어야 할 것이다. 이런 보완할 부분이 있긴 하지만, 거리의 예술가들이 넘쳐나는 브루클린 허름한 사무실에서 이제 막 날아오르기 시작한 킥스타터의 앞날은, 창의적 프로젝트와 함께 나아가기에 더욱 밝다고 하겠다.

킥스타터에서 얻은 교훈!

킥스타터는 공연기획자와 음악 저널리스트가 만든 벤처라는 특이한 구성을 보이고 있지만, 이제 신제품의 수요를 확인하고, 고객과 깊은 관계를 맺기 위해 작은 기업들이 이용하는 소통의 장이 되고 있다. 일반인들이 뚜렷하게 금전적인 이득이 나지 않는 상황에서도 누군가를 돕기 위해 후원한다는 것이 현대적인 상식에서는 이해하기 어려울 수 있지만, 결국 킥스타터는 이런 사업모델도 가능함을 입증해 보였다.

그러면 킥스타터에서 배울 점을 살펴보도록 하자.

첫 번째는 새로운 사업은 자기 주변의 문제에서 아이디어를 찾아 시작하라는 것이다. 페리 첸은 호주에서 DJ를 초빙해서 진행하려던 공연이 자금문제로 무산되자 분명 상심했을 테지만, 오히려 이것이 길게 보면 전화위복이 되었다. 이 경험으로부터 킥스타터에 대한 핵심 아이디어가 탄생했기 때문이다. 예술가들이 후원이 필요할 때 일반인의 도움을 받거나, 공연 이전에 미리 사전예약을 받아서 자금을 마련하는 방법이 세상에 필요함을 알게 된 것이다. 당시 페리 첸이 초청하려던 호주의 DJ들은 나중에 상당히 유명해진 사람들이라고 한다. 나름 선구안이 있었다고 보이고, 그 공연이 성사되었으면, 어쩌면 페리 첸은 창업보다는 공연기획자로 성공했을지도 모르겠다.

지금의 킥스타터는 1만 건이 넘는 프로젝트를 성사시키고, 거래 금액만도 1800억 원을 바라보는 성공 기업이 되었지만, 그 시작은 매우 소박했음을 알 수 있다. 예술가에게 공연이나, 작품을 만들 수 있는 기회를 주자는 것이다. 바로 과거 페리 첸 자신의 문제를 해결하기 위한 방법을 현재의 킥스타터를 통해서 실현했다고 하겠다. 여기서 창업자들은 본인들이 아티스트와 관련된 일을 했기 때문에 충분히 고객을 이해할 수 있었다.

고객을 객체로서 동떨어진 상태로 사업을 추진하면, 진심에서 우러나는 서비스가 이루어질 수 없다. 요즘 흔히들 하는 마케팅의 고객 세그먼트, 타기팅도 사실은 고객을 객체화, 데이터화하는 작업이다. 하지만 진정 고객을 만족시키는 것은, 고객 자신의 입장에서 생각하는 것이다. 보다 정확히는 고객이 되어 보는 것이다. 그래서 성공한 초기기업들의 경우, 자신의 서비스의 최대 열성 고객이 창업자 자신이라는 것은 시사하는 바가 크다. 단지 자신이 만든 서비스여서라기보다는, 그와 같은 서비스를 필요로 했는데, 찾을 수 없었기 때문에 새로 만들었다고 하는 등식이 성립하기 때문이다.

두 번째 교훈은 집념을 가지고 끈기 있게 추진하라는 것이다. 2005년에 두 창업자가 식당에서 의기투합하여 같이 사업을 하기로 정한 이후에도, 서비스가 오픈하기까지 4년의 시간이 흘렀다는 점은 이미 이야기한 바 있다. 나중에 합류한 친구 역시 디자이너 출신이었고, 기술적인 측면을 도와줄 인재가 없었다. 그리고 각자 생계를 꾸리면서 사업을 준비하다 보니, 집중적으로 준비할 시간도 많지 않았을 것이다. 사실 보통은 위에 언급한 문제들은 투자를 적절한 시점에 받으면 동시에 해결 가능한 문제들이었다. 예술가들의 프로젝트에 사람들이 금전적 대가 없이 후원금을 줄 것이라고 가정하는 사업모델은 일반 투자가뿐 아니라, 개발자들에게도 공감을 얻지 못했던 것 같다. 예술, 공연 분야에 있는 인사들로부터 소액의 투자금을 받아서 서비스 개발을 진행할 수 있었던 사실 자체도 어찌 보면 다행이라 하겠다.

4년 내내 킥스타터만을 준비했다고 이야기하긴 힘들겠지만, 약간 우회하더라도 가고자 하는 방향이 일정했기에, 창업자들이 원하던 모습으로 2009년에 서비스가 세상에 나올 수 있었다. 아마도 창업자들에게는 이 4년간의 시간이 가장 힘들었던 순간일 수도 있겠다. 분명히 세상에 필요한 서비스라는 자기 확신은 있었지만, 이를 세상에 내놓기 위한 여러 여건들이 따라오지 못했다. 그리고 당시 똑같지는 않더라도, 사람들이 실시일반으로 모아서 기금을 만드는 형태의 서비스들도 이미 나오고 있었다. 이런 상황에서는 보통 조바심을 극복해야 하고, 아무 진척이 없는 것이 가장 큰 스트레스가 된다. 끈기를 가지고 추진하는 것의 중요성은 이 책에서 다른 혁신가들의 이야기를 보더라도 알 수 있다. 어쩌면 그것 또한 혁신가의 여정의 일부일 것이다. 가끔 세상은 고난과 시련을 통해서 혁신가의 순수한 의지를 확인하려고 한다.

세 번째 교훈은 사업에 적합한 수익모델을 끊임없이 연구하라는 것이다. 초기에 창업자들은 프로젝트를 등록할 때, 일정한 수수료를 받을 생각이었다. 이 자체가 수익원이 되기도 하고, 질이 떨어지는 프로젝트들이 만연할 수 있는 문제를 막기 위해서다. 하지만 킥스타터의 일일 방문 회원 수가 수만 명 이상 되지 않는다면 광고료의 개념이 들어가는 등록 수수료를 내고자 하는 예술가들은 많지 않았을 것이다. 다양하고 사람들의 시선을 끄는 프로젝트들이 많이 올라오는 것이 당장의 수익보다 훨씬 중요한 일이었다. 따라서 초기에는 등록 수수료를 받지 않는 것이 보다 합리적이다. 질 낮은 프로젝트가 등록되는 것을 막는 방법은 여러 가지가 있다. 현재 킥스타터가 하듯이 프로젝트 가이드라인 준수 여부를 살펴보고, 이에 부합되는 경우에만 승인을 해 주는 방식도 그중 하나다.

쿼키의 경우 질 낮은 발명 아이디어가 올라오는 것을 막기 위해 등록 수수료를 받고 있다. 발명 아이디어는 별도의 심의를 받지 않고, 노출이 된 후 여러 사람들의 토론 대상이 된다. 쿼키의 경우 클러스터의 서비스를 인수하는 식으로 사업을 시작했기 때문에 초기부터 일정 수준의 회원들이 확보가 되어 있는 상태였다. 그리고 발명 아이디어를 사전 심의하다 보면, 심의 통과가 안 되었을 경우 개인발명자들이 쿼키가 아이디어를 도용하려는 것은 아닌지 의심의 눈초리를 보낼 수도 있다. 최대한 투명하게 운영하면서, 일정 수준 이상의 아이디어로 창고를 채우기 위해서 나름의 고민을 했으리라 보인다.

결국 사업의 특징에 맞게 수익모델을 최적화하는 작업이 필요하다. 재미있는 것은 이 책에서 다룬 많은 기업들이 초기에 생각했던 수익모델을 나중에 가서 변경했다는 점이다. 키바와 같은 경우에도, 투자금을 대출해 주는 개인들에게 일정 수준의 이자를 제공하는 것을 고려했고, 사업 운영을 위해서 최소한의 수수료를 떼는 것이 필요하다고 생각했다. 하지만 비영리 기구로서의 완결성이 필요하다고 보고, 이사회 등에서 수수료 방식을 제고할 것을 권했다고 한다. 나중에는 개인들이 저개발국 사업자들에게 투자금을 확정할 때, 이와 별도로 키바에게 기부하는 옵션을 하나 더 추가함으로써 간단히 수익모델상의 문제를 해결한다. 그밖에도 자금운용상의 시차에서 얻어지는 이자도 훌륭한 수익이 되고 있다.

수익모델을 적용하는 시점도 중요하다고 할 수 있다. 킥스타터는 후원금 모집액의 5%가량을 수수료로 책정했다. 초기 서비스부터 거의 1년가량은 별도의 수수료를 받지 않았다. 수익원이 없는 상태에서 투자받은 자금만으로 버틴 것이다. 이는 시장 활성화 차원에서 충분히 효과가 있었다. 매년 두 배 가까이 킥스타터 내의 지표들이 좋아지고 있기 때문이다. 국내에서는 무료 서비스를 제공하다가, 유료로 전환하면 실패하기 쉽다는 인식이 있는 것 같다.

예전에 잘나가던 프리챌이라는 사이트가 있었다. 당시 커뮤니티 운영이 굉장히 활발하여, 웬만한 동호회는 프리챌에 만들어질 정도였다. 하지만 무료로 제공되던 서비스를 유료화하자 상황이 바뀌었다. 커뮤니티 개설자가 월 3000원 정도를 내야, 커뮤니티 유지가 가능한 것이다. 110만 개가량 되던 커뮤니티가 얼마 안 가 20만 개 정도로 줄어들었다. 사실 커뮤니티 운영자는 핵심 고객이라고 할 수 있다. 프리챌이 새롬에 인수되고, 얼마 전에 파산신고를 내게 된 데는 여러 이유가 있었지만, 수익모델의 최적화 과정에서 판단을 잘못한 것이 큰 영향을 미쳤을 것이다.

킥스타터의 경우 핵심 고객은 예술가와 후원자들이다. 좋은 후원자들이 많이 있기 때문에, 점점 더 좋은 프로젝트들이 이들의 후원을 받기 위해 킥스타터를 찾는 것이다. 따라서 프로젝트를 등록하는 예술가에게 약간의 수수료를 받는 것이 용인될 수 있는 문제로 보인다. 초기 기업들은 수익모델을 어떻게 최적화하고, 어느 시점에 적용할지에 대해서 끊임없이 연구해야 함을 되새길 필요가 있다.

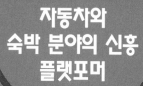

PART 4
|

자동차와
숙박 분야의 신흥
플랫포머

헨리 포드가 자동차 대량생산의 시대를 연 후, 자동차는 상당한 기술적 발전을 이뤘지만, 근본적인 변화는 없었다. 자동차를 만들어서 판매한다는 유통방식과 가솔린 같은 탄소 연료를 사용한다는 점은 오래전이나 지금이나 거의 대동소이하다. 최근에는 이 둘을 포함해 전반적으로 자동차 산업의 새로운 변화가 시작되고 있다. 특히 환경 문제로 주목받는 전기 자동차가 대중화되기 위해서는 배터리 성능, 차량 가격, 충전시설 등 동시에 풀어야 문제들이 많다. 이때 이동통신 산업의 모델을 자동차 산업에 도입하는 것이 해법이라고 생각하는 기업이 있다.

자동차 하면 떠올리는 것이 어디론가 떠나는 여행이다. 여행을 가는 경우 보통 자신의 집을 비워 두고, 여행 목적지에 있는 호텔이나 펜션에 방을 빌린다. 사실 집을 비워 두는 것은 자원 낭비다. 그 빈 집이 근처로 여행 오는 다른 누군가의 숙소가 될 수도 있기 때문이다. 당신이 뉴욕으로 여행을 가고, 뉴욕에서도 서울로 여행 오는 사람이 있다면 서로 집을 며칠간 바꾸어서 지내면 누이 좋고 매부 좋은 격이다. 이제 개인들이 서로 자신의 집을 빌려 줄 수 있게 되자 호텔 산업마저도 이런 움직임을 예의 주시하기 시작했다.

01 본격적인 상용 전기 차 충전소를 짓다, 베터플레이스^{BetterPlace}

지난 10년간 타고 다니던 자동차를 팔고, 새 차를 알아보던 철수 씨에게 어느 날 신문을 읽다가 지면에 실린 광고 하나가 눈길을 끌었다. A사에서 나온 신형 자동차를 6년 이상 타고 다니기로 약정만 하면, 차 가격이 공짜라는 것이다. 설마 하는 마음이 들었지만, 다음 날 철수 씨는 A사의 대리점에 가서 상담을 받고 있는 자신을 발견한다. 알고 보니, 신문에서 본 모델은 전기로 가는 자동차였다. 보통 전기 차는 기름으로 가는 차보다 두 배 이상 비싼 걸로 아는데, 어떻게 이 차를 공짜로 고객에게 내놓을 수 있었는지 궁금해졌다. 전기 차가 충전하는 데 한참 걸린다는 사실을 어디선가 들었던 철수 씨는, 아무래도 찜찜한 마음이 들었다. 상담을 하던 영업 매니저는 속마음을 읽기라도 했는지, 이 차는 전기 충전소에 가면 2분이면 충전이 가능하다고 이야기한다. 과연 이 차는 어떻게 2분 내에 충전이 가능하고, 공짜로 차를 팔면서도 회사는 수익을 남길 수 있는 걸까.

다보스 포럼의 화두에 걸맞은 대담한 구상

최근 본격적으로 논의되고 있는 것이 전기 자동차다. 전기 자동차가 전면적으로 도입만 된다면, 이산화탄소 발생이 상당한 폭으로 줄어들 것으로 기대된다. 전기 자동차의 보급을 늘리기 위해서는 몇 가지 풀어야 할 큰 숙제가 있다. 우선 전기 충전이 주유소를 이용할 때만큼 쉬워야 한다. 그리고 전기 자동차의 구매부터 운영에 이르는 총 소유 비용이 현재의 가솔린 차량보다 눈에 띄게 낮아야 한다. 아직은 시기상조라고 생각되던 전기 차를 군이 소비자들이 구매할 마음이 그제야 생길 것이다. 이러한 복잡한 문제를 풀고자 휴대폰을 파는 이동통신사 모델을 전기 차 충전사업에 접목한 회사가 있다. 바로 베터플레이스^Better Place가 그 주인공이다.

샤이 아가시는 이스라엘에서 태어나 당시 젊은 나이였던 1992년에 탑티어라는 소프트웨어 회사를 만들었다. 캘리포니아로 사무실을 옮긴 후 2001년에 탑티어는 독일에 있는 세계적인 소프트웨어 회사인 SAP에 인수된다. 그는 중소기업용 프로그램을 만드는 회사도 설립했는데, 이 역시 나중에 SAP에 매각된다. 이런 인연에 의해 샤이 아가시는 30대 후반의 나이에 벌써 SAP의 제품 기술 그룹 사장으로 일하고 있었다. 그는 2010년경 《타임》에 의해 세계에서 가장 영향력 있는 인물 100위에 올랐다.

본격적인 베터플레이스 이야기는 2005년에 열린 다보스 포럼에 방문한 샤이 아가시가 "당신은 2020년까지 어떻게 세상을 좀 더 나은 곳으로 만들겠습니까?"라는 질문을 접한 순간부터 시작된다. 그는 포럼에서 제시한 질문에 대해, 환경 문제의 개선을 목표로 삼는다. 지구온난화 문제를 해결하려면, 이산화탄소를 줄여야 하고, 이산화탄소 배출의 주범은 자동차다. 그래서 자동차에서 나오는 이산화탄소를 획기적으로 줄일 방법이 있을지 찾게 된다. 당시 그가 보기에 에탄올이나 수소는 기술적 문제가 있었다. 결국 그가 선택한 것은 전기 자동차다. 전기 자동차의 보급을 획기적으로 늘리는 방법을 찾을 수만 있다면 세상이 좀 더 나아질 것처럼 보였다. 그런데 전기 차는 일반 가솔린 차보다 가격이 상당히 비쌌다. 배터리 가격이 차 가격 못지않게 들기 때문이다. 그렇다고 배터리 가격이 언제쯤 내릴지 알 수 없는 상황에서 그냥 기다리고 있을 수만은 없었다.

테슬라 모터스에서 해결의 실마리를 찾다

이렇게 획기적인 전기 차 보급방안을 궁리하던 중, 전기 차 분야에서 유명한 미국 내 테슬라 모터스$^{Tesla Motors}$에 방문한 동안 번득이는 아이디어를 얻는다. 바로 차와 배터리의 소유권을 분리하는 것이다. 그의 구상에 의하면 차의 소유권은 제조사가 가지고, 배터리의 소유권은 충전사업을 하는 베터플레이스가 가진다. 소비자는 배터리 비용을 구매 시점에 내지 않고, 몇 년에 걸쳐서 나누어 내면 된다. 샤이 아가시는 차 가격 역시 운행거리에 따라 매월 나누어서 내는 방식까지도 염두에 두었다. 월정액 66만 원이면 연간 2만 9000km까지 달리도록 전기 차를 제공할 수 있다는 계산이다.

"우리는 기본적으로 이게 핸드폰 모델과 비슷하다고 이야기하는 겁니다. 만약 (전기 차를 만드는) 테슬라가 아이폰이라면, 우리는 (이동통신사인) AT&T입니다." 샤이 아가시가 《뉴욕타임스》와의 인터뷰 중한 이야기는 베터플레이스의 비즈니스 모델을 잘 설명해 준다. 소비자는 핸드폰을 사면, 단말기 할부금을 매월 나누어서 낸다. 2년 간사용 약정을 맺은 경우, 단말기 할인 혜택 또한 상당하다. 단말기 할부금과 통화요금은 매월 같이 청구된다. 여기서 핸드폰을 차와 배터리로, 통화요금을 전기 차 충전요금으로 바꾸면, 바로 베터플레이스의 사업모델이다. 2007년 《와이어드》와의 인터뷰에서 샤이 아가시는 베터플레이스의 보조금 지급 방식에 대해서 좀 더 구체적으로 밝혔다. "만약 당신이 4년 정도 차를 탄다면, 우리는 그 차 가격과 전기충전요금을 할인해 줄 생각입니다. 만약 6년 정도 탄다면, 공짜로 차를 드려야죠."

이스라엘에서 시작된 매듭 풀기

샤이 아가시는 이같이 원대한 구상의 실현을 위해 각국 정부에 투자및 파트너 관계를 맺기 위한 제안을 던진다. 이후 이스라엘의 시몬페레스 대통령을 만나고, 총리와의 만남이 주선되었다. 잠정적으로 2400억 원 규모의 투자가 결정된다. 단, 조건이 있었다. 전기 차 없는충전소는 무의미하므로, 전기 차 200만 대를 생산할 제조 파트너를찾아야만 했다. 샤이 아가시는 많은 자동차 회사에 공문을 보냈고, 카를로스 곤 회장을 만난 후 르노로부터 전기 차 대량생산을 위한 투자를 이끌어 낸다. 1조 8000억 원을 투자해서 아홉 개 차종을 개발하고, 생산 첫 해에 10만 대를 출하하는 계획이다. 2012년에는 플루언스 ZE 모델이 우선 출시될 예정이다. 배터리의 경우는 일본의 NEC에서 생산하는 리튬이온 배터리가 장착된다. 배터리 충전 및 교환에 문제가 없으려면 베터플레이스에서 설계한 규격이 자동차에도 적용되어야 하며, 파트너십은 반드시 필요하다고 볼 수 있다.

첫 번째로 베터플레이스가 진출한 곳이 이스라엘인 것은 지정학적인 이유가 존재한다. 주변 석유 생산국과의 불편한 관계 때문에 항상 대체 에너지에 대한 뿌리 깊은 요구가 있었다. 국경 출입도 쉽지 않은 관계로 이스라엘 자체가 하나의 섬이라고 볼 수 있다. 한정된 지역 내에서만 충전소를 이용하기 때문에, 거점을 확보하기 쉬워진다. 베터플레이스는 이스라엘 외에 다른 국가로도 사업을 확장한다. 섬과 같이 한정된 지역 범위를 가지면서, 정부나 지자체가 시민들의 전기 차 이용을 독려하는 나라, 풍력처럼 석유를 사용하지 않고 생산한 친환경 전기를 얻기 쉬운 나라가 최적지라고 할 수 있다. 그래서 정해진 곳이 하와이, 일본, 호주 같은 섬 지역과 덴마크, 중국, 미국 캘리포니아 등이다. 이곳에서 대부분 정부 소유인 현지 전력 회사와 파트너십을 맺은 후 충전소를 통해 전기를 판매할 계획이다.

도이치뱅크에서 온 분석가들의 생각

"프로젝트 베터플레이스의 접근 방식은 가솔린 엔진 자체를 사라지게 할 잠재력이 있습니다." 2008년경 도이치뱅크에서 파견된 분석가들은 베터플레이스의 사업계획서를 면밀히 검토한 후 결론을 내린

이스라엘의 도로 위를 달리고 있는 전기자동차 르노 플루언스 ZE
이미지 출처-베터플레이스에서 제공(Image courtesy of BetterPlace)

다. 베터플레이스의 기업 가치는 아직 본격적인 서비스 전이기 때문에 매출이 전혀 없음에도 불구하고 2조 원 이상으로 평가받았다. 최초 투자단계에서부터 종잣돈으로만 2400억 원을 투자받아서, 역사상 가장 단기간에 많은 금액을 받은 사례로 꼽히기도 한다.

이러한 배경에는 전기 충전방식이 가솔린 방식보다 소비자 측면에서 분명한 이점이 있기 때문이다. 전기 차를 충전할 때 1.6km당 약 80원이 필요하지만, 가솔린은 유럽의 경우 300원, 미국은 180원이 든다. 전기 차의 연비가 두 배에서 세 배가량 좋은 것이다. 더구나 석유의 매장량이 제한된 관계로, 점점 가솔린 가격은 올라갈 수밖에 없으니, 전기 차의 비교 이점은 더욱 커지게 될 것이다.

　도이치뱅크의 분석가들은 다음과 같이 결론짓는다. "우리는 베터플레이스 같은 회사들이 글로벌 자동차 산업의 심대한 변화를 가져올 수 있다고 생각합니다." 베터플레이스 모델이 성공한다면 자동차 산업이 제조에서 임대형 서비스 산업으로 빠르게 전환될 것으로 전망하고 있다.

독점기업의 우려와 게임 체인저로서의 기대

베터플레이스는 소비자들이 자동차를 충전하면 요금을 청구하게 되는데, 이런 과정은 전 세계적으로 한 곳에서 관장하게 될 것으로 보인다. 동시에 수백만 대의 차량이 충전을 한다 해도 처리에 문제가 없도록 걸맞은 용량의 시스템을 개발 중이다.

　현재 이스라엘에서는 베터플레이스와 제휴된 차량을 제외한 다른 전기 차량이 전기플러그를 달고 운행하는 것을 금하려는 움직임이 있다. 통제된 전기 충전망에서 벗어난 전기 차가 운행되면, 전력 관리에 누수가 발생할 것이라는 주장이다. 베터플레이스는 컨트롤 센터를 따로 둔 후, 중앙에서 데이터를 한 곳에 모아, 요금 청구 등을 처리하려 한다. 앞으로 전력회사는 분 단위로 전력 여유분을 베터플레이스에 전달하고, 이러한 전력 여유분에 따라 충전 용량이 결정된다. 전력 여유분이 적으면 차로 멀리 움직여야 하는 상황이 아닌 이상, 배터리 최대 용량만큼 완전 충전하는 것을 지양하는 등 지능적인 충전방식을 제공할 예정이다. 일견 타당한 측면도 있지만, 소비자의 선택권 제한 및 또 다른 독점 구조가 형성될 수 있다는 시민단체의 우려가 있을 것으로 보인다.

이스라엘에서는 남부에 짓고 있는 태양열 발전 시설을, 덴마크에서는 기존의 풍부한 풍력 발전 시설을 전기 차 운행에 활용할 예정이다. 매년 석유 생산량의 절반 정도가 자동차 운행에 쓰이고 있고, 전 세계 이산화탄소 발생량 중 자동차로 인한 것이 25%에 이른다고 한다. 이제 2020년까지는 10년이 채 안 남았다. 세상을 보다 좋게 만들겠다는 아이디어로 시작한 샤이 아가시의 대담한 실험은 곧 세상에 모습을 드러낼 것이다. 만약 그의 실험이 성공을 거둔다면, 우리는 자동차 산업의 상당히 크고도 영구적인 변화를 보게 될 것이다.

　　　　　베터플레이스는 사업계획서 하나만으로 시작해, 각국의 투자를 이끌어 내고 베터플레이스의 충전소와 호환되는 수십만 대의 자동차를 생산할 예정으로 이제까지 큰 성과를 보여 줬다. 이스라엘 내에서만 50만 개의 충전시설이 필요할 것이라는 전망도 있다. 아직 본격적인 운영에 들어가지도 않은 상태이긴 하지만, 미래 자동차 시장의 게임 체인저로 부상하게 된 점은 앞으로의 결과를 떠나서 높이 살 만하다.

　샤이 아가시가 이렇게 공상에 가까웠던 사업을 현실화 시켜가는 중심에는 공짜 전기 차를 가능케 하는 뛰어난 사업모델이 있었다. 하지만 그에 못지않게 눈여겨 봐야 할 부분이 두 가지 정도 있을 것 같다.

　우선 여러 사람들을 하나로 모으고 행동하게 만드는 비전을 제시하는 것을 들 수 있다. 샤이 아가시는 다보스 포럼에서 접한 '2020년까지 세상을 보다 나아지게 하기 위한 일'이라는 화두에서 본인이 앞으로 해야 할 일에 대한 사명을 찾았다. 석유를 쓰지 않는 자동차의 보급을 통해서 이산화탄소를 획기적으로 줄이는 것이다. 당시에 SAP에서 보다 높은 자리에 오를 수 있는 입장에 있었던 그이지만, 하나의 개인 프로젝트에 불과했던 베터플레이스를 위해 각국 정부에 공들여 만든 사업계획서를 보냈다.

그가 간파했던 진실 중에 하나는 전기 자동차 시대는 기다린다고 서서히 열리지 않는다는 점이다. 화석연료를 기반으로 움직이는 사회 시스템상에서 전기 차가 보급이 되려면, 충전소 건설부터 전력회사와의 파트너십, 자동차 회사들의 전기 차 대량생산 등 과제들이 산적해 있다. 이는 한꺼번에 여러 주체들을 동시에 움직여야지만, 의미 있는 변화가 가능함을 의미한다. 그것도 매우 빠른 속도로 움직여야 100년 가까이 유지되던 시스템에 변화를 줄 수 있다.

샤이 아가시는 테드 컨퍼런스의 연단에 서서, 전기 차 보급을 위해서 당장의 변화가 필요함을 강조하면서 케네디가의 정치인을 만난 이야기를 한다. 산업혁명 전 영국이 노예제를 유지하고 있을 당시, 노예들은 사회 전체의 에너지 공급원 중 25%가량을 차지하고 있었다고 한다. 당시 정치인들 사이에 노예제 폐지에 대한 여론은 있었지만, 사회적 충격을 줄이기 위해 천천히 진행해야 한다는 입장이 설득력을 얻었다. 하지만 결국 노예제 자체가 일시에 폐지되고 나서 생긴 일은 대혼란이 아닌, 새로운 시대를 연 산업혁명이었다.

현재 석유로 움직이는 자동차와 이를 위한 사회 시스템의 전환은 점진적으로 하자는 의견이 대세이다. 샤이 아가시는 그래서는 너무 늦다고 말한다. 기존 시스템은 새로운 차원으로 대체가 필요하고, 노예 제도의 폐지처럼 당장 바꾸려고 해야만 의미 있는 변화가 가능하다는 것이다. 그리고 그 결과는 산업혁명과 같은 높은 차원으로의 발전이 될 것으로 주장한다. 과거에 케네디 대통령이 인간을 달에 보낸 것도, 비전을 제시하고 시한을 정했기 때문에 가능했다고 볼 수 있다.

세상을 바꾸는 큰일에는 큰 비전과 명확한 시한, 그리고 당장의 실천을 독려하는 것이 필요함을 알 수 있다.

베터플레이스에서 배울 수 있는 두 번째 점은 누구를 먼저 만나고 어떤 순서로 진행할지가 중요하다는 것이다. 각국 정부에 사업계획서를 보내긴 했지만, 가장 일의 진척이 먼저 이루어진 곳은 이스라엘이었다. 샤이 아가시 자신이 이스라엘 출신이기도 했지만, 석유 자본과의 불편한 관계에 놓여 있는 이스라엘은 전기 차를 도입하기에 최적의 요충지이기도 하다. 또한 국토가 협소하고, 국경 출입이 수월치 않아 전기 차 충전소를 운용하기 위한 테스트 베드로 적격이다. 따라서 가능하다면 이스라엘에서 일의 실마리를 푸는 것이 나았을 것이다.

그러면 하필 왜 민간 기업이 아닌 정부를 만났을까. 새로운 에너지 산업은 정부의 규제를 받기 마련이다. 또한 전기 충전소는 현지의 전력회사와 긴밀한 관계를 가져가야만 사업이 가능한데, 대부분의 전력회사들은 국가가 관리하고 있다. 정부의 도움 없이는 처음부터 베터플레이스는 불가능한 것이다.

샤이 아가시는 당시 만났던 이스라엘 총리로부터 200만 대의 전기 차를 만들 수 있다면, 2400억 원을 투자하겠다는 약속을 받는다. 이런 약속이 있었기에 전기 차를 생산할 만한 기업들이 베터플레이스에 관심을 가지게 되고, 결과적으로 르노 자동차와의 제휴가 이루어진 것이다. 플랫폼 측면에서는 이러한 방법을 '동시 확보 전략'이라고 이야기할 수 있다. 동시에 이해 당사자인 정부, 전력회사와 자동차 회사를 끌어들여서 베터플레이스 사업을 실행 가능한 수준으로 끌어올린 것이다. 만약 전기 자동차 200만 대와 충전소 50만 개라는 조건이 동시에 충족되지 않았다면, 사람들은 이것이 새로운 사회적 체제가 될 것으로 믿지 못할 것이다. 실험적인 수준의 논의로는 소비자의 관심을 끌지 못하기 때문이다.

이러한 동시 확보 전략의 예로는 모비 TV^{MobiTV}를 들 수 있다. 핸드폰에서 방송을 볼 수 있게 하려면, 이동통신사의 지원과 콘텐트 사업자의 참여가 필수였다. 당시 모비 TV는 이동통신사에서 일정 수준 이상의 콘텐츠 사업자를 모집하면, 지원을 해 주겠다는 약속을 받는다. 이런 약속을 기반으로 콘텐츠 사업자들과 만나고, 결과적으로 주요 파트너들을 모두 사업에 끌어들였다.

베터플레이스는 이스라엘에서 첫 단추를 끊은 후, 일본, 네덜란드 같은 유사한 환경의 국가로 대상 범위를 확대했다. 그리고 최근에는 주요 자동차 시장인 중국과 미국으로 그 대상범위를 확장했다. 국가별로 베터플레이스 프로젝트가 동시에 진행되면서, 배터리 규격과 자동차 충전 체계가 산업 표준화된다면, 그 파급효과는 상당할 것이다.

굳이 전략적인 측면이 아니라 하더라도 순서를 정하고, 매듭을 풀어나가는 것이 사업 실행의 중요한 요건이 됨을 느낄 수 있었다.

02 전에 없던 숙박 경험을 제공한다, 에어비앤비^{AirBnB}

길동 군은 최근 해외여행 중 재미있는 체험을 했다. 울창한 나무 숲에서 공처럼 생긴 2인용 숙소에서 이틀을 묵었는데, 마치 숲속의 요정이 된 것 같은 나날이었다. 이곳에는 비슷한 집이 10여 채가량 모여 있다. 인근 별장 주인이 시간 날 때 취미 삼아 만든 곳이라고 한다. 길동 군은 일반 호텔이나 유스호스텔은 어느 정도 신물이 나던 차에, 새로운 경험을 하게 도와준 사이트를 찾은 것이 행운이라고 생각한다. 특이한 것은 집주인도 묵을 사람을 가려 받을 수 있다고 한다. 그리고 자기 집을 낯선 사람에게 빌려 주면 불안할 텐데, 아직까지 기물이 파손되거나 도둑이 든 경우는 거의 없었다고 한다. 어떻게 집주인, 방문객 모두 서로 얼굴도 모르면서 안심하고 거래할 수 있는 걸까?

방 하나를 세놓은 경험이 사업이 되다

사람들이 집을 떠나 여행을 가게 되면, 우선 잘 곳을 구해야 한다. 주로 상업적 숙박시설인 호텔이나 펜션에서 많이들 묵지만, 좀 더 현지 분위기와 문화를 느끼고 싶은 사람들은 홈스테이를 이용한다. 해마다 유명 컨퍼런스나 축제가 열릴 때는 인근 호텔이 부족해 고생을 하는 일이 반복된다고 한다. 이런 경우 가정집을 빌리는 민박을 이용하는 사람들도 있다. 방을 빌려 주는 입장에서는 평소에 안 쓰

에어비앤비의 멋있는 숙소 40위에 선정된 카스바 두 툽칼 모로코(Kasbah du Toubkal Morocco)

는 방이 있거나 며칠간 집을 비워야 할 일이 있는 경우, 아예 민박 용도로 별채를 지어놓은 경우, 이 공간을 활용할 방법이 필요하다. 간단한 아이디어에서 시작했지만, 이제는 온라인 민박 중개업소로 성장한 에어비앤비^{AirBnB} 이야기로 들어가 보자.

로드아일랜드 디자인학교에서 만나 친구 사이로 지내던 브라이언 체스키와 조 게비아는 둘 다 디자인 분야의 경력을 가지고 있었다. 졸업 후 각자 떨어져 생활하던 두 사람은, 같이 사업을 한번 해 보고 싶은 마음이었다. 그래서 2007년경 샌프란시스코의 작은 아파트를 얻어 다시금 뭉치게 된다.

당시 두 사람이 가진 돈은 합해 봐야 몇 개월 월세를 감당할 수 있 는 수준이었다. 둘은 디자인 분야에서 일했었기 때문에 매년 샌프란시스코에서 열리는 '국제 디자인 컨퍼런스'에 대해 알고 있었다. 마침 그 해에도 행사 때문에 시내 거의 모든 호텔 방이 동나다시피 했다. 이때 묵고 있던 아파트 공간 일부를 여행 온 사람들에게 제공하면 월세라도 벌 수 있겠다는 아이디어가 떠오른다. 조 게비아가 가지고 있던 간이침대(에어베드^{AirBed}) 세 개를 거실에 비치해 놓고, 아침에 간단한 식사를 제공한다면 가능할 듯싶었다.

광고를 올리려고 국내로 치면 벼룩시장이라 볼 수 있는 크레이그리스트^{Craigslist} 사이트에 들어갔다. 하지만 비슷한 유의 광고들이 너무 많다는 생각이 들어, 차라리 간단한 사이트를 만들어 직접 홍보하기로 했다. 사이트 제작에는 고작 30분이 걸렸다. 이어서 디자인 업계의 사람들과 지인들에게 홍보 메일을 보냈다. 숙박객을 구한다는 내용이 일부 블로그에 노출되기도 하면서, 오래지 않아 여행객 세 명을 모두 구할 수 있었다. 여행객들이 묵는 동안 즐겁게 대화하며, 간단한 아침식사까지 대접하면서 이것이 괜찮은 사업 아이템이 될 수 있겠다고 생각하게 된다. 사람들이 서로 남는 공간을 빌려 주고, 수익을 얻는 이 서비스의 이름을 '간이침대와 아침식사'라는 의미로 에어비앤비$^{\text{AirBnB, AirBed \& Breakfast}}$로 정한다.

지지부진한 상황 속에 맞은 미국 대선

미국, 특히 샌프란시스코와 뉴욕은 세계적으로 중요한 행사들이 가장 많이 열리는 곳 중에 하나다. 두 창업자는 기술 분야를 전담할 사람을 찾게 되었고, 네이선 블레차지크를 공동 창업자로 끌어들인다.

이후 트위터가 주목받기 시작했던 행사인 SXSW에서 에어비앤비를 소개하기도 했지만, 사람들로부터 반짝 관심을 받고 나서, 다시 서비스 이용률이 제자리걸음을 면치 못하는 상황이 계속됐다.

2008년 미국 대선 즈음, 이들은 수중에 있던 돈이 거의 떨어져 가고 있었다. 그래서 돈을 벌기 위한 방법을 찾던 중 대선주자들의 얼굴이 프린팅된 시리얼을 대선 지지자들에게 팔아 보자는 아이디어를 낸다. 당시 후보였던 오바마 대통령은 오바마 오$^{Obama O's}$로, 공화당 후보였던 존 매케인 상원의원은 캡틴 맥케인$^{Cap'n McCains}$로 시리얼 포장지에 익살스러운 모습으로 나타났다. 창업자들은 마트에서 평범한 시리얼을 산 후, 자신들이 디자인한 포장지에 옮겨 담았다. 이렇게 아파트에서 만들어진 시리얼 상자가 1000개나 됐다고 한다. 선거 당시 이 재미난 디자인의 시리얼이 CNN에 소개되면서, 유명세까지 더해져 순식간에 팔려 나갔다. 마트에서 사온 평범한 시리얼을 포장지만 바꾼 후 상자당 40달러에 팔았으니, 창업자들은 장사 수완도 나쁘지 않았다고 하겠다. 시리얼을 한정판으로만 만들어 팔다 보니, 이베이에서는 훨씬 높은 가격에 되팔리기도 했다. 창업자들이 이때 마련한 자금은 수익이 마땅치 않았던 상황에서 계속 사업을 꾸려 가는 데 도움은 되었을 것이다. 그리고 그에 못지않게 얻은 것이 하나 더 있었으니, 에어비앤비와 창업자들에 대한 홍보효과였다.

폴 그레엄과의 만남, 그리고 와이 컴비네이터

부진을 계속하던 사업은 유명한 투자가인 폴 그레엄을 만나면서 반

전의 계기를 맞는다. 폴 그레엄은 미국 서부, 샌프란시스코를 대표하는 벤처캐피털인 세콰이어 캐피털의 공동 창업자다. 뉴욕 동부에는 프레드 윌슨이 주도하는 유니온 스퀘어 벤처스가 있다. 폴 그레엄은 2005년부터 초기 단계 벤처들을 집중적으로 투자 육성하는 와이 콤비네이터^{Y Combinator}를 운영하고 있었다. 이곳에 입학하려면 엄정한 심사를 거쳐야만 한다. 높은 경쟁률을 뚫고 통과한 벤처 창업자들은 3개월 동안 교육을 받고, 수료 직전 데모데이^{Demo Day}를 통해 창업 아이템을 투자자에게 뽐낼 수 있는 기회를 얻는다. 참가자들은 3개월 교육기간 중, 생활고 정도 해결할 수준의 자금을 지원받는다. 그리고 데모데이에서 좋은 인상을 주면, 초기 단계 투자를 이끌어 낼 수 있다. 2011년부터는 좀 더 조건이 좋아졌다. 모든 창업회사들에 자동으로 15만 달러를 투자하는 프로그램이 만들어졌기 때문이다. 유리 밀러 등 저명한 엔젤 투자자들은 될 성싶은 떡잎을 가리는 폴 그레엄의 선구안에 상당한 신뢰를 보내고 있다.

에어비앤비는 폴 그레엄의 지지를 받으며, 2009년 초에 와이 콤비네이터에 입교한다. 폴 그레엄은 3개월 후 열릴 데모데이까지는 에어비앤비가 수익을 내야 한다고 이야기한다. 또한 창업자들에게 뉴욕으로 날아가라고 조언한다. 에어비앤비의 고객들을 직접 만나 보라는 것이다. 사업을 시작한 후 어느 정도 시간이 흘러, 이제 성장해야 한다는 조바심을 느끼던 창업자들에게, 당장의 성장보다 서비스를 훌륭하게 만드는 게 더 중요하니 고객의 조언에 먼저 귀 기울이라는 의미였다. 그때부터 에어비앤비 사이트에 올라온 집들에 직접 머물며, 직원이 아닌 여행객 자격으로 방문해서, 회원들과 대화를 나누며 개선 아이디어를 찾는다. 후에 CEO인 브라이언 체스키는 이러한 경험이 고객의 충성도를 높이고, 지금의 에어비앤비를 만드는 데 중요한 밑거름이 되었다고 이야기한다.

"당신의 제품을 사랑하는 100명을 먼저 찾아야 합니다. 그것이 당신의 제품을 좋아하는 100만 명을 찾는 것보다 낫습니다." 브라이언 체스키가 《월스트리트 저널》과의 인터뷰에서 한 말이다. 보편적인 다수가 아니라, 에어비앤비의 서비스에 열광하는 몇 사람이 가장 중요하고도 결정적인 깨달음을 준다고 볼 수 있다.

에어비앤비는 이제 186개국, 1만 6000개 이상 도시에서 서비스되고 있다. 예약 건수도 2010년 1월에 10만 건이었던 것이, 2010년 말에는 80만 건으로 한 해 동안 여덟 배나 증가했다. 와이 콤비네이터 졸업 후, 세콰이어 캐피털에서 7억 2000만 원의 엔젤 투자를 받은 후, 2010년 말에 링크트인의 창업자가 파트너로 있는 그레이록 파트너스Greylock Partners에서 86억 원의 추가 투자를 받았다. 에어비앤비는 경쟁업체라고도 볼 수 있는 홈어웨이와 달리 빌려 줄 방을 등록할 때 별도의 수수료를 받지 않는다. 대신 회원들 간의 거래가 성사되었을 때, 결제 대금의 6%에서 12%를 여행객에게서, 3%를 집주인에게서 받는 것으로 수익을 내고 있다.

그레이록 파트너스와의 인터뷰에서 브라이언 체스키는 에어비앤비를 "전 세계의 독특한 공간을 통해 사람을 연결하는 커뮤니티 마켓 플레이스"라고 정의한 바 있다. 창업자들이 초기에 사업을 할 때만 해도, 서로 일면식도 없는 사람들이 사적 공간을 나눠 쓰는 것이 가능하냐고 주변에서 말리는 일이 많았다고 한다. 브라이언 체스키는 와이 콤비네이터에서 한 강연에서 '예전에는 다들 그렇게 나누어서 쓰고들 했다'라며 할머니가 자신을 지지해 주었다고 이야기한다. 에어비앤비는 단순히 싸게 묵을 곳을 찾는 서비스가 아니다. 집을 제공하는 사람과 머무는 사람 간에 경험을 공유하는 커뮤니티 성격이 강하다고 볼 수 있다. 그래서 호텔과 에어비앤비의 차이점을 "에어비앤비에서는 다른 사람의 집을 이용하고 떠날 때 집주인에게 선물을 남겨 주고 싶은 마음이 든다"라고도 표현한다.

도난 사건으로 모든 것을 잃을 뻔했던 위기

에어비앤비에게도 위기의 순간은 있었다. 특히 2011년 7월에 투숙객이 집의 물건들을 통째로 훔쳐 간 도난 사건은 최대의 위기였다. 나중에 용의자가 경찰에 잡히긴 했으나, 서비스의 안전성에 대한 우려와 신뢰의 위기를 불러왔다. 당시 EJ라는 필명의 30대 여성이 일주일간 집을 빌려 주고 돌아와 보니, 집은 엉망진창으로 변해 있었다. 자신의 블로그에 이 사실을 알린 후에 이 사건은 온라인상에서 이슈가 되었다. 며칠 후 브라이언 체스키는 에어비앤비 블로그를 통해서 사건 발생에 대해 유감을 표명하고, 강화된 안전 조치를 발표한다. 그 내용 중에는 안전 분야의 인력을 두 배로 늘리고, 24시간 내내 신고접수가 가능한 콜센터를 운영하는 안이 포함되어 있었다. 특히 투숙객 때문에 집주인이 재산상 손해를 볼 경우 6000만 원까지 기본

보상해 주는 조치는 적절해 보였다. 이 제도가 발효되기 전에 발생했던 사건들도 모두 보상해 주기로 함으로써 EJ라는 필명의 여성도 혜택을 받게 됐다. 이를 통해 차츰 회원들의 신뢰를 다시 회복하게 된다. 그밖에 집주인들은 방문객이 맞는 전화번호를 적었는지, 페이스북 계정이 정말 그 사람 것인지, 기존에 다른 곳에 머물 때 문제는 없었는지, 기존 숙박과정에서 집주인에게 받은 평가 등을 투명하게 공개하여 집주인의 안전 조치를 강화하였다.

세콰이어 캐피털은 에어비앤비가 목표로 하는 시장의 규모를 년 40조 규모로 추산하고 있다. 초기에 집에서 남는 공간을 빌려 주는 것으로 시작했지만, 이제는 집 전체, 아파트 한 동, 아름다운 성, 심지어는 에스키모가 사는 눈으로 만든 이글루까지 에어비앤비에서 여행객들을 유혹하고 있다. 어떤 이는 아이폰4의 판매 시점에 맞추어 며칠 전부터 애플 스토어 앞에 설치한 텐트를, 에어비앤비를 통해 200달러에 빌려 주려고 해서 화제가 되기도 했다. 이제 뉴욕, 샌프란시스코와 전 세계를 잇는 데서 출발했던 지역적 설정도, 9만 건 이상의 장소들이 등록됨에 따라 전 세계적으로 선택의 폭이 넓어진 상태다. 각 국가로 현지 법인을 확대해 가면서, 등록매물에 대해서 무료 사진 촬영 서비스 등도 제공 중이다.

이제 조그마한 아파트에서 디자인을 전공한 두 괴짜가 벌인 조그마한 아이디어가, 공간을 빌려 주는 전통적 산업인 숙박·호텔업계에까지 본격적인 영향을 미칠 날이 멀지 않아 보인다.

에어비앤비
에   서
얻은 교훈!

에어비앤비는 이제 실리콘밸리에서 잘 나가는 신흥 벤처회사가 되었지만, 그 내용을 들여다보면 하루아침에 성공 가도에 이르게 된 것이 아님을 알 수 있다. 한마디로 고생 끝에 성공에 이른 케이스다. 창업자들 역시 자신들의 그런 고생담을 유머러스하게 이야기하고 다니며, 또 다른 에어비앤비를 꿈꾸는 스타트업 기업들에게 용기를 주고 있다.

그러면 잠시 에어비앤비에서 배울 만한 교훈을 정리하기로 하자.

첫 번째는 끈기를 가지고 매우 오랫동안 노력을 지속해야 한다는 것이다.

이는 『밀리언 달러 티켓』이란 책에서 들려 준 성공 원칙 중 하나인 '매우 매우 지속적인$^{Very\ Very\ Persistent}$'과도 일맥상통한다. 에어비앤비는 창업자들이 샌프란시스코에 아파트를 얻고 사업을 시작한 후에도 상당 기간 투자자들의 관심을 끌 정도로 활성화되지 못한 상태였다.

조 게비아가 PSFK에서 행한 강연 내용 일부를 잠시 인용하자면, 사용자들의 방문이 많지 않던 상태에서 기술을 담당할 친구가 텍사스 주 오스틴에서 열리고 있는 사우스바이사우스웨스트^{SXSW} 음악 영화 기술 박람회에 에어비앤비를 소개하자고 제안한다. SXSW는 소

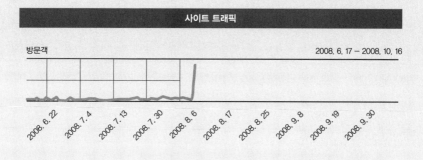

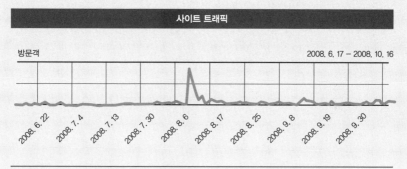

SXSW 참가후 급증한 사용자 방문 / 행사로 인한 반짝 관심이 사라진 후

프트웨어 관련한 중요한 행사로 이곳에서 트위터의 바람몰이가 시작된 것으로도 유명하다. 이제는 너도나도 이곳에서 새로운 서비스를 발표하기 때문에, 이전보다는 홍보효과가 적어졌다고 한다. SXSW에서 에어비앤비를 소개한 이후에, 위의 그림에서 보듯이 잠시 사용자 방문이 급상승하기도 했다.

늘어난 사용자들을 보고 이제는 고생 끝이라고 좋아했을 창업자들의 기쁜 마음은 오래가지 않았다. 바로 그 다음 그림처럼 얼마 후에는 사용자들의 방문이 끊기고 예전 상태로 돌아가고 만 것이다. 아마 그 이유로는 SXSW를 통해 에어비앤비를 알게 되어 방문한 사람들이 숙소를 구하는 고객이 아니었을 수도 있고, 충분하고 매력적인 숙소들이 아직 확보되지 않은 상태였을 수도 있다. 이른바 숙소도 많고, 찾는 고객도 많아야 하는 양면 시장의 법칙이 여기서도 예외 없이 적용되었다.

앞의 그림을 보면 알 수 있듯이 에어비앤비의 사용자 방문 횟수가 이전 상태로 돌아간 후에도 다시 나아질 기미는 보이지 않았다. 바로 이쯤에서 창업자들의 자기 믿음이 충분히 흔들릴 수 있는 대목이다.

주변의 많은 사람들이 사업에 대해 회의적으로 말하고, 실제로도 서비스가 사람들의 관심을 확연히 끌지 못하던 상황이었다. 에어비앤비 창업자들의 뛰어난 점은 이런 상황에서도 계속 뚝심을 가지고 밀어붙인 것이다. 이미 CNN 뉴스에까지 나올 정도로 유명해진 미국 대선을 겨냥한 한정판 시리얼 판매도, 사업을 계속하기 위해서 생활비를 벌기 위한 고육지책이었다. 현재 에어비앤비의 CEO인 브라이언 체스키는 시리얼을 대부분 팔고 난 후에도 돈이 충분치는 않아서, 아침 끼니로 다 팔지 못한 시리얼을 먹었다고 말한다.

와이 콤비네이터의 폴 그레엄은 창업자들을 만나기 전까지만 해도 에어비앤비 모델에 회의적이었다. 하지만 실제 창업자들을 만나보고 나서 마음이 바뀌었다고 나중에 그의 블로그에 밝힌다. 창업자들에게서 느껴지는 에너지와 에어비앤비에 대한 신념, 그리고 시리얼 1000개를 만들어 대선용으로 홍보해서 팔 정도의 수완 등에 마음을

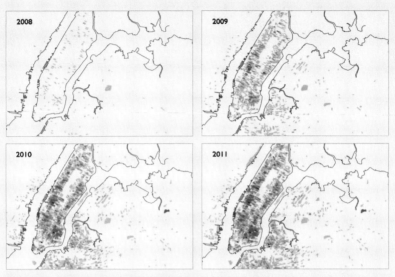

연도별로 뉴욕 맨해튼에 등록된 숙소들(점이 많을수록 숙소가 많음)

열었을 것이다.

　위의 그림에서 보면 에어비앤비의 지나온 성장과정을 지도를 통해 확인할 수 있다. 지도 속 점들은 에어비앤비에 등록된 숙소들이다. 외국인들이 많이 찾는 뉴욕 맨해튼 지도를 보면, 2008년 무렵에는 거의 묵을 만한 숙소가 안 보인다. 2009년부터 본격적으로 늘어나, 2011년에 와서는 맨해튼 인근 지역에 이르기까지 숙소들이 꽉 차게 들어섰다.

　두 번째 교훈은 고객 속으로 직접 찾아 가서 들으라는 것이다.

　와이 콤비네이터에서 폴 그레엄의 조언을 듣고 나서, 세 창업자는 묵고 있던 아파트를 떠나, 에어비앤비 회원들이 올린 숙소들을 돌면서 생활한다. 몸은 좀 고될 수 있지만, 여행객의 입장이 되어 숙소를 이용해 보고, 숙소를 올린 회원과 직접 대화할 수 있다는 장점이 있었다. 그리고 여행객에게 인기가 있으려면, 숙소를 어떤 식으로 제공하면 좋을지 조언할 수도 있었을 것이다.

서비스 개선 아이디어 발굴과 초기 서비스 고객의 충성도를 높이는 효과를 얻었으니, 일석이조라고 하겠다. 소셜 네트워크의 힘에 의해 이런 이야기들이 회원들 간에 회자됨으로써 에어비앤비의 이미지에도 긍정적으로 기여했다고 생각된다.

세 번째 교훈은 항상 투명하게^{Transparent} 공개하라는 것이다.

이것은 주로 서비스에 대한 신뢰의 위기가 발생하는 시기에 문제를 풀 수 있는 가장 좋은 해법이기도 하다. 에어비앤비의 경우 집을 타인에게 빌려 줘야 하는 서비스 특성상, 언젠가는 일어날 일이 결국 일어난 시기가 있었다. 앞서 잠시 언급했던, 회원 집에서 발생한 도난 사건 이야기다. 잘못하면 쉬쉬하고 넘어가려는 유혹을 느끼기 쉬운 상황에서, 에어비앤비는 블로그를 통해 공식 사과의 입장을 전달하고, 고객을 안심시키기 위해 재산상의 손실이 발행하면 5만 달러까지 보상해 주는 제도를 시행했다. 콜센터 등 대응인력도 두 배로 늘렸으며, 이런 제도가 도입되기 전에 피해를 입은 모든 사람들에게도 동일하게 보상을 적용했다.

에어비앤비를 통해서 보듯이 작은 성공에서 큰 성공으로 넘어갈 때 주로 겪게 되는 이 신뢰의 위기를 넘는 가장 좋은 방법 중의 하나는 투명성이다.

다음은 브라이언 체스키가 기가옴^{GigaOM}과의 인터뷰에서 직접 밝힌 사업하면서 느낀 교훈이다.

- 전통적인 지혜란 과대평가된 것이다.
- 일이 잘못되어 갈 때는 엄청날 정도의 자기 원칙과 집중이 필요하다.
- 초기에 당신의 회사가 한 일이 그 미래에 대단한 영향을 미친다.
- 당신 자신의 문제를 풀다 보면, 다른 사람의 문제까지 풀리게 된다. 이것을 통해 종종 기회의 문이 열린다.

PART 5

유통과
미디어 분야의 신흥
플랫포머

유통 분야는 스마트폰의 보급이 늘어가고, 모바일 결제가 쉬워지면서 온오프라인이 연계된 방식의 다양한 시도가 이루어지고 있다. 이러한 기술적 발전에 의한 변화 말고도, 문화적인 측면에서 유통에 서서히 영향을 주고 있는 부분이 바로 소셜 네트워크다. 이미 소셜 커머스를 통한 반값 할인 판매는 애초의 소셜 네트워크를 통한 쇼핑 콘셉트와는 동떨어져 가고 있다. 요즘은 수많은 정보 중 쓸 만한 것만, 전문가들이 선별해서 추천해 주는 큐레이션 방식이 인터넷 쇼핑몰에도 반영되고 있다. 기존에 머천다이저가 하던 일을, 유명 인사나 전문 블로거가 하고, 소비자는 이들의 팬이 되었다.

미디어 분야, 특히 음악 산업은 불법 복제의 터전이 된 냅스터Napster, 앨범이 아닌 곡 단위로 판매방식을 바꾼 아이튠스iTunes 이후에 또 다른 변화를 모색하고 있다. 무료와 유료 방식이 혼합된 스트리밍 방식의 서비스가 이런 변화를 대표한다. 편의성과 휴대성, 플레이리스트 공유 등 소셜 기능이 강화된 3세대 음악 서비스들은 기존 음반

사업자들과의 화합과 공존을 모색한다. 유통 및 음악 산업에 청신호가 될 만한 이런 변화의 주인공들에 대해 이제 살펴보도록 하자.

01 상품 판매에 큐레이터를 도입한다, 오픈스카이^{OpenSky}

영희 씨는 어제 동창모임에서 순이 씨를 만나고 깜짝 놀라고 말았다. 패션 스타일리스트인 그녀가 보기에도, 상당히 세련되고 트렌디한 옷과 소품으로 멋있게 차려입고 자리에 나온 것이다. 불과 한 달 전만 해도 길을 가다 마주쳤을 때의 순이 씨는 전형적인 아줌마 패션을 하고 있었다. 직업상 궁금한 마음을 참지 못해, 다음날 순이 씨에게 전화를 걸었다. 어떻게 된 일인지 연유를 물어 보고 나서야 궁금증이 풀리게 되었다. 연예계에서 패션 감각 있기로 유명한 한 연예인이 추천한 패션의류 및 소품 목록 중에서 순이 씨가 맘에 드는 위주로 골라 입었다는 것이다. 그런데 어떻게 순이 씨는 친분도 없는 그 연예인에게 패션 조언을 받을 수 있었을까.

블로거와 제휴한 쇼핑에서 시작하다

인터넷에서 물건을 구매하는 쇼핑은 상당히 성숙되어 있어서, 더 이상 바뀔 만한 꺼리가 적다고 생각하기 쉽다. 사람들이 쇼핑몰에 방문해 다양한 상품들을 검색하고 구매하며, 때론 이벤트 상품을 할인 가격에 건지기도 한다. 이런 쇼핑몰에서 상품 소싱의 대부분은 머천다이저^{MD}나 카테고리 매니저^{CM}가 진행한다. 그런데 트위터 같은 소셜 네트워크의 특징을 활용하여, 연예인이나 유명 블로거가 상품을 추천하는 방식으로 성장하는 회사가 있다. 오픈스카이^{OpenSky}가 그 주인공이다.

오픈스카이를 만든 존 캐플란은 이전에 포드모델과 어바웃닷컴에서 임원으로 일한 적이 있었다. 포드모델은 모델 에이전시의 일종이었는데, 단지 모델을 패션쇼에서 걸어 다니는 인형이 아니라, 하나의 브랜드로 홍보했었다는 차별점이 있었다. 또 다른 회사인 어바웃닷컴은 일반인들에게 유용한 정보를, 주제별로 전문화된 작가들을 통해 일반에게 제공했다. 주제로는 날씨, 집 수리, 영문법, 모델 워킹 등 다양했고, 방문자들이 글을 많이 읽을수록, 이를 토대로 작가들에게 광고수익을 나누어 주는 방식을 채택했었다.

존 캐플란은 어바웃닷컴을 그만둔 후, 이전 회사들의 특징에 착안하여 블로거를 통해 상품을 판매하는 온라인 쇼핑 사업인 오픈스카이를 시작한다. 그가 초기에 구상했던 모델은 이렇다. 블로거들이 쉽게 구성할 수 있는 상품 판매 화면을 제공하고, 블로그에 노출된 상품이 판매되면 수익을 나누는 방식이다. 판매할 상품을 섭외하거나 결제, 배송 관련한 부분은 오픈스카이가 책임졌다. 2010년 초부터 본격적인 블로거 섭외를 위해 일일이 메일을 보냈고, 관심을 보이는 블로거는 존 캐플란이 직접 만나러 다니기도 했다.

당시 오픈스카이의 계약조항에는 블로거들이 '추천하는 제품을 만드는 회사로부터 돈을 받거나 공짜 제품을 받을 수 없다'는 내용이 들어가 있었다. 블로거의 상품 추천 과정에 지나친 사심이 들어가면, 잘못된 제품이 추천될 수 있고, 결국 서비스에 대한 소비자 신뢰에 나쁜 영향을 주기 때문이다.

큐레이터를 통한 방식에 사운을 걸다

확보된 블로거가 일정 수준 이상 된 후, 겉에서 보기에는 어떨지 모르겠지만, 실제로 오픈스카이의 매출은 충분치 않았다.

그 이유를 자체적으로 분석해 본 결과, 블로거들이 상품 페이지 운영에 적극적이지 않았다는 점이 드러났다. 또한 소비자들 역시 블로그에 글을 보러 오는 것이 주목적이므로 상품 구매 동기 자체가 약했다. 글을 읽던 중 갑자기 구매욕구가 생겨, 지갑 속에 있는 신용카드를 꺼내는 경우는 생각만큼 많지 않았던 것이다. 존 캐플란은 초기에 한 달 매출 약 6000만 원가량을 목표로 하였지만, 이런 소박한 목표마저도 달성이 쉽지 않았다.

변화가 필요하다는 생각에 2010년 말부터 회사 임직원들과 사업 방식의 변화를 논의한 후, 사업모델을 대폭 수정하기로 결정한다. 오픈스카이가 쇼핑몰을 직접 운영하고, 이 사이트를 통해 상품을 팔기로 한 것이다. 좋은 상품을 사람이 추천해 주는 방식도 이에 맞게 수정을 가했다. 상품 분류에 따라 해당 분야에서 인지도가 있는 유명 인사, 연예인들이 추천해 주는 큐레이팅 방식을 도입키로 한다. 그렇다고 블로거들의 역할이 없어진 것은 아니다. 이제 블로거들도 일정 조건이 충족되면, 큐레이터가 되서 자신이 전문 분야인 상품을 추천할 수 있다. 블로거는 자신을 팔로우하는 소비자에게 일주일에 한번씩 상품 추천 메일을 발송할 수 있다.

사업모델 전환 초기에는 음식, 스타일, 건강, 집 꾸미기 등 잠재 수요가 많은 상품 위주로 취급했고, 유명인과 블로거도 해당 분야에서 모집했다. 큐레이터의 자격 역시 강화되었다. 상품 분류별로 적정한 수의 큐레이터가 있어야, 상호 이익을 얻을 수 있기 때문이다. 블로거의 경우는 상품 메일을 받아 볼 사람을 4000명 이상 확보해야 큐레이터 자격이 주어진다. 이미 블로그를 통해 오픈스카이 상품을 팔던 블로거들은 이러한 기준이 너무 높다고 이의를 제기하기도 한다. 나중에 오픈스카이의 한 임원이 한 말을 빌리면, 4000이라는 수치는 기존의 운영 데이터를 기반으로 나왔다고 한다. 제품 분류당 소수 정예의 큐레이터만을 두려고 했다는 점은, 비슷한 방식으로 정보 서비스 사업을 했던 어바웃닷컴의 모델을 참고한 것으로 보인다.

쇼핑에 사람의 온기 불어넣기

존 캐플란은 2011년 말, 올싱스디지털[AllThingsD]과의 인터뷰에서 오픈스카이의 차별점을 다음과 같이 설명하고 있다. "오픈스카이는 검색을 통한 것보다 쇼핑을 위한 보다 현대적인 방식으로 여겨집니다. 현재의 온라인 쇼핑에는 별로 영혼이란 게 없어요. 우리는 쇼핑에 다시 영혼을 불어넣고 있는 겁니다."

2011년 4월경부터 새롭게 전환된 사업은 9월경부터 본격적으로 상승세를 타기 시작한다. 첫 달부터 월매출 목표를 넘어섰고, 당시 5만 명에 불과했던 회원 수는 넉 달 후에는 100만 명으로 늘어났다. 한 달 6000만 원 매출이라는 창업자의 목표는 금세 달성되었다. 10월경에는 월매출 120억 원이라는 기대 이상의 실적을 거둔다. 소비자가 건당 구매시 지불하는 금액이 오픈스카이의 경우 6만 원 정도인데, 이는 아마존 쇼핑몰의 두 배가량 된다고 한다. 또한 회원들이 가입 후 보통 8주 안에 첫 구매를 하고, 이 중 68%가량이 반복구매 고객이다. 오픈스카이의 급성장을 눈여겨본 투자자들에 의해 투자 자금 역시 유입되고 있다.

큐레이터의 수도 2011년 말 75명에서 100명 이상으로 늘릴 예정이다. 오픈스카이의 성공 배경에는 사람을 중심으로 상품을 배열하는 소셜 네트워크 개념이 주효했다. 기존 블로그가 아닌, 오픈스카이 상점을 통해 직접 상품 제안을 구현함으로써, 블로그의 상업성에 대한 문제에서도 자유로워졌다. 또한 상품 메일을 받을 것을 동의한 사람들을 팔로워로 모집함으로써 실제 쇼핑 의사가 있는 소비자층을 대상으로 효과적인 마케팅을 전개할 수 있었다.

초기에는 불특정 다수의 블로거를 통해서 상품을 판매하다가, 나중에 4000명 이상 팔로워를 가져야 하는 것으로 기준을 대폭 강화한 것은 어떤 이유에서였을까. 상품 분류별로 너무 많은 블로거들이 상품 제안을 하게 되면, 소비자 입장에서는 중복 제안이 넘쳐나 혼란스러울 수 있다. 또한 블로거 입장에서도 수익이 만족스럽지 않을 수 있다. 결국 단순히 블로거가 아닌, 저명하고 팔로워가 많은 큐레이터라는 콘셉트로 채널 고객층을 재 정의한 것이 현재 오픈스카이 성공의 주요한 요인이 된다고 하겠다.

유명 인사 마케팅을 환호하는 브랜드들

국내에서도 유명 블로거들이 구글 애드센스처럼 블로그에 거는 광고들로 수익을 내는 등, 블로그를 통한 수익모델 찾기는 꾸준히 모색되어 왔다. 좀 더 적극적인 경우는 블로그를 통해 공동구매를 진행하여, 판매 금액의 일부를 수수료 매출로 챙기기도 한다. 음식과 관련한 국내 유명 블로그의 경우 최근 1년간 263회의 공동구매를 추진했고, 회원들에게 판매된 금액만 158억 원이 넘었다고 한다. 음식과 관련된 주제 하나만으로도 이 정도인데, 유명인을 통한 적법하고, 신뢰할 수 있는 마케팅 수단이 존재할 경우 시장 규모는 생각 이상으로 클 것이다. 오픈스카이는 그러한 가능성을 직접 확인시켜 주는 사례로 볼 수 있다.

브랜드들은 유명 인사나 인기 있는 블로거들이 직접 큐레이터가 되어 자신의 제품을 홍보해 준다는 사실에 무척 반색하고 있다. TV 광고를 통해 제품 홍보를 할 때보다, 출연료를 아낄 수 있다. 또한 광고와 달리 신뢰할 만한 큐레이터들의 제품 추천에 의해 소비자가 제품에서 받는 신뢰감 역시 높아질 것이다.

실제로 유명 인사가 제품을 추천한 경우, 단일 제품 기준 판매량이 상당히 높은 수준으로 알려져 있다.

오픈스카이에서 중요한 지표 중 하나는 소비자와 큐레이터 간의 연결 건수다. 연결이 많을수록 상품 제안의 노출이 많아지고, 상품 매출 역시 증가하기 때문이다. 100만 개의 연결 건수를 달성한 주기를 보면, 개편 이후 14주가 걸린 반면, 그 이후 10주, 3주로 갈수록 짧아지고 있다. 오픈스카이의 성장에 사람들이 믿음을 가지기 시작하는 이유이기도 하다.

이제 유명 인사와 블로거가 추천해 주는 큐레이터 기반 상품 제안으로 두각을 보이는 오픈스카이의 향후 성장이 아마존과 같은 기존 쇼핑몰 업계에 어떤 변화를 일으킬지 흥미롭게 지켜볼 일이다.

오픈스카이
에   서
얻은 교훈!

오픈스카이는 아직 생긴 지 2년 남짓의 신생기업에 불과하다. 그리고 큐레이터 기반 쇼핑의 미래도 조금은 더 지켜봐야 기존 쇼핑몰 산업에 미칠 영향을 가늠할 수 있을 것이다. 아직 그 매출 규모 자체가 기존 경쟁자들을 위협하기에는 미미한 수준이기 때문이다. 하지만 거의 사업이 물속에 빠져들기 전에 이를 살려내고, 세간의 관심거리로 만든 부분에서 분명 우리가 오픈스카이로부터 참고할 만한 교훈이 있을 것이다.

개인적으로는 제품이 시장에 맞지 않을 경우에 신속히 모델을 변경하는 모습을 본받을 만하다고 생각한다. "제품이 시장에 맞지 않으면, 빨리 피봇(모델 전환)을 해야 합니다." 이는 오픈스카이의 창업자인 존 캐플란이 CBS와의 인터뷰에서 한 말에서도 나오는 대목이다. 피봇^{Pivot}이라는 단어는 린스타트업$^{Lean\ Startup}$이라는 개념을 제시한 에릭 라이스가 즐겨 쓰는 용어로, 실리콘밸리에서는 피봇 할 거냐, 말 거냐가 사업을 추진 중인 스타트업 기업들의 화두로 등장한 지 오래이다. 본래의 비즈니스 모델 자체가 고객(시장)이 이런 것을 원할 것이라는 가정 위에 세워진 것인데, 막상 시장에 제품을 출시하고 보면, 시장이 전혀 원하던 상품이 아님을 알게 된다. 실제로 기업들이 실패하는 대부분 이유는, 시장이 원하지 않는 상품을 만들기 때문이라는 말도 이러한 잘못된 가설과 관련 있다.

오픈스카이의 기본적인 모델은 제휴 기반 쇼핑몰 사업이다. 초기에는 블로거들이 자신의 블로그 화면에 상품이 전시된 화면을 노출시키도록 하면 수익이 날 것으로 기대했었다. 하지만 정작 뚜껑을 열어 보니, 블로그 방문객들이 상품보다는 글을 읽는 데 치중하여, 기본적으로 예상했던 월 6000만 원가량의 매출조차 요원해 보였다. 이때 상품 전시는 쇼핑몰에서 하면서, 유명 인사와 블로거를 활용한 제휴 마케팅 모델을 고안하는데, 그것이 현재의 큐레이터 기반 쇼핑몰이다.

사업모델이 전반적으로 많이 수정되기는 했지만, 제휴기반으로 사람의 추천을 통해 판매한다는 점은 유사하다. 그리고 오픈스카이가 전체 상품 구색을 미리 준비해 놓고, 배송 등 전반적인 운영을 담당한다는 점도 동일하다. 핵심적인 비즈니스 아이디어는 유지하되, 이를 구현하는 과정에서 사업모델에 변화를 주어, 좀 더 시장에서 통할 수 있는 제품을 시도한 것이다.

오픈스카이는 오픈 후 1년 남짓한 시점에 신속하게 사업모델의 전환을 추진하였고, 5개월 만에 큐레이터 기반 쇼핑몰을 오픈한다. 이런 과정 중에도 기존 블로거 커뮤니티의 반발이 예상되었기 때문에, 오픈스카이는 블로거와의 직간접적인 소통에 힘썼다. 예를 들어 비판적인 글을 쓴 블로그에는 댓글로 본연의 취지를 설명하고, 관계관리가 필요한 유명 블로거는 직접 만나서 설득하는 식이다.

그렇다면, 신속하게 사업모델을 바꿔서 성공한 오픈스카이의 경우가, 앞서 꾸준하게 지속해서 성공한 에어비앤비 케이스와는 서로 상충하는 것일까.

　사실 두 케이스는 전혀 서로 상충되지 않는다. 오히려 유사하다고 보는 게 더 맞을 것 같다. 두 경우 모두 초기 사업에 대해 가지고 있던 비전은 큰 변화 없이 유지되고 있음을 알 수 있다. 단지 세부 모델의 실행에 있어 변화를 주고 있다. 시장에서 원치 않는 제품, 서비스를 계속 제공하는 것은 고객과 기업 모두에게 도움이 안 된다. 따라서 시장의 반응을 신속하게 따진 후, 좀 더 시장에서 원하는 방식으로 변화시켜야 한다. 그래서 피봇을 비유적으로 상상한다면, 투수가 마운드에 올라가 한 발은 땅에 붙이고 서서, 나머지 발을 들어 몸을 회전하며 공을 던지는 모습과 닮았다. 서있는 발은 비전, 사업의 핵심을 의미하고, 공을 던질 방향으로 몸을 회전하는 것은 구체적인 모델 변화에 해당한다.

　에어비앤비의 경우 '간이침대와 간단한 아침식사'를 제공하는 모델에서 시작했다. 그런데 집주인이 아침에 식사를 만들어 내놓는 것이 항상 가능하지 않다는 것을 알고, 아침식사 제공을 기본 옵션에서 뺀다. 그리고 회원이 아파트 전체를 통째로 사이트에 올려서, 방 한 칸이 아니라 집 전체를 빌려 주는 형태도 자연스럽게 고려하게 된다. 초기에는 미국에서 열리는 국제 컨퍼런스 참가객들이 주 고객이라고 여겼지만, 이제 일반 여행객들로 고객의 개념이 넓어졌다. 그리고 안전 문제를 걱정하는 집주인을 위해 집주인이 직접 숙박객을 선택할 수 있는 장치도 마련했다.

그러면 실제로 새로 시작한 스타트업 기업들이 사업모델을 중간에 바꾸는 경우는 얼마나 흔한 것일까.

해외에서 조사한 자료에 의하면, 시리즈 A 펀드를 받은 시점부터 증권시장에 상장한 후 3년 사이에 사업모델을 바꾼 기업은 전체 중에 10%에 불과하다고 한다.

정작 중요한 것은 시리즈 A 펀드를 받기 전의 경우일 것이다. 왜냐하면 대부분의 스타트업 기업이 시장과 만나면서, 시간과 돈, 아이디어의 중간에서 고민하는 시기가 이때이기 때문이다. 유니온 스퀘어 벤처스의 벤처캐피털리스트인 프레드 윌슨이 블로그에 적은 글을 보면, 본인이 투자한 기업의 반 이상이 중간에 사업모델을 전환했다.

벤처캐피털이 스타트업 기업에 투자할 당시에 매력적이었던 사업모델조차도 반 이상이 사업모델 전환을 하게 된다는 것이다. 시장이 원하지 않는 솔루션이었거나 제공하는 방식에서 개선의 여지가 있었을 것으로 보인다. 50% 정도면 생각보다 높은 수치임에 분명하다. 한 번이라도 투자를 받은 기업 정도면 이미 사업모델의 개연성은 높았을 텐데, 투자를 받지 못한 기업들까지 포함시킨다면, 사업모델 전환을 시도하는 기업의 비율은 훨씬 더 높아질 것이다.

프레드 윌슨의 블로그 글에서 또 한 가지 놀라운 사실은 결국 투자 실패로 끝나 버린 다섯 개의 기업 중에서는 네 곳이 사업모델 전환을 시도하지 못하고, 본래의 사업모델을 고집했다는 부분이다. 결국 시장과 제품이 서로 어울리는지를 묻고 고쳐 가는 자세가 스타트업 기업 성공의 충분조건은 아니지만, 실패를 막는 필요조건은 된다고 하겠다.

이를 통해 사업 자체와 초창기의 비전에 대한 끈기는 갖되, 사업모델이나 아이디어와 결혼하지 않는 유연한 자세가 필요함을 느낄 수 있었다.

SK T-아카데미 전문 기획자 과정에서 워크숍과 코칭을 진행하던 때, 필자가 자주 강조한 이야기 중 하나는 '아이디어와 결혼하지 말라'는 것이었다. 누구나 자신이 낸 아이디어에 대해 각별한 애정을 가진다. 그런데 여기에 집착하게 되면, 다른 좋은 아이디어와 만날 기회를 스스로 봉쇄하는 결과를 빚을 수 있다. 워크숍 발표일 이틀 전에 그동안 맘에 안 차던 아이디어를 과감히 접고, 새로운 아이디어로 바꾼 학생이 영광의 대상을 차지하기도 했다. 사업계획서를 완전히 고쳐 써야 하는 작업이었지만, 도전했기에 가능한 결과였다. 수상 여부를 떠나, 개인적으로 이같이 유연한 자세를 배우는 것이 사업계획서를 잘 쓰는 것보다 기획자에게 더 중요하다고 생각한다.

아이디어와 결혼하지 말라는 이야기는 기획 단계뿐만 아니라, 사업을 실행하는 단계에서도 마찬가지로 적용될 수 있을 것 같다.

여기서 문제는 투자된 비용이다. 기획서야 다시 쓰면 그만이지만, 사업모델의 실행에는 많은 자원이 든다. 사업모델을 전환하는 것은 위험 부담도 문제지만, 중간에 바꾸기 힘든 것은 이미 들어가 버린 투자비용이 아깝기 때문일 것이다. 그러나 이런 비용은 대개 잠식비용$^{\text{Sunk Cost}}$이다. 잠식비용은 이미 흘러간 비용이어서, 어떤 의사결정을 하든 간에 복구되지 않는 비용임을 감안하면 조금은 유연한 자세를 취하는 데 도움이 될 수 있지 않을까 한다.

02 공짜 음악으로도 사업이 된다, 스포티파이^{Spotify}

길동 씨는 음악 듣는 것을 즐기는 평범한 학생이다. 재즈부터 R&B, 댄스 가요에 이르기까지 종목불문하고 가리지 않고 듣는 편이다. 항상 용돈을 아껴 써야 했던 탓에, 불법다운로드 사이트에서 음악을 찾는 일이 잦았다. 하지만 자신이 좋아하는 음악가들에게 미안한 일이기도 해서, 평소 음악을 들을 때 늘 찜찜한 마음이었다. 그러던 어느 날 친구가 알려 준 서비스를 쓰게 된 다음부터는 마음이 좀 더 편해졌다. 공짜로 음악을 들을 수 있는 서비스다. 하지만 가수나 제작자들의 동의하에 이루어지는 것이어서, 전혀 법적으로 문제가 없다고 한다. 매월 얼마씩 돈을 내면 좀 더 나은 서비스를 받을 수 있다고 하는데, 일단은 좀 더 써 보고 결정할 생각이다. 상당히 많은 회원을 가지고 있는 이 서비스는 어떻게 공짜로 음악을 제공하고 있는 걸까.

우연히 홈시어터에서 얻은 사업 아이디어

국내에는 월정액으로 음악을 스트리밍 서비스 받는 것이 일반화된 지 오래다. 국내보다는 초고속 인터넷망이 나중에 발전하였고, 상대적으로 음악에 대한 소유 의식이 강한 해외에서는 돈을 주고 다운로드하는 시장이 대세였다. 대표적인 서비스가 미국에서 비틀스의 음원을 독점 공급하고 있는 아이튠스^{iTunes}라 할 수 있다. 하지만 최근

들어 음악 스트리밍 서비스가 온라인 음악의 주류 시장으로 비집고 들어오고 있다. 이런 움직임을 주도하는 회사 중에 단연 눈에 띄는 회사가 있으니, 바로 서유럽 시장에서 스트리밍 서비스를 대세로 만든 스포티파이Spotify다.

스포티파이를 창업한 대니얼 에크는 스웨덴 출생으로, 20대의 젊은 창업자다. 열네 살 무렵인 1997년에 첫 회사를 만든 것을 시작으로 이미 여러 회사를 창업한 경험을 가지고 있다. 그는 스포티파이를 만들기 바로 전에 유토런트uTorrent라는 회사를 운영했다. 유토런트는 개인들 간의 파일 공유 프로그램으로 유명한 비트 토런트와 호환되는 프로그램인데, 누적 다운로드만 100만 건이 넘을 정도로 인기가 있었다.

대니얼 에크는 2005년 가을 동안 평소 알고 지내던 마틴 로렌스턴과 함께 아파트에 모여, 같이해 볼 만한 사업거리를 찾기 시작한다.

마틴 로렌스턴은 트레이드더블러TradeDoubler라는 인터넷 마케팅 회사를 1999년에 창업하여 2005년경에 스웨덴 증시에 상장시킨 경험 많은 사업가였다. 상장 후에 다른 관심 둘 만한 일을 찾던 그는 대니얼과 친분을 맺고, 초기 창업 자금으로 15억 원(100만 유로)을 대니얼에게 맡긴다. 대니얼 에크는 당시 아파트에 있던 홈시어터 컴퓨터를 이용해 주로 음악을 듣곤 했는데, 아무래도 불편했다. 원하는 음악을 찾기도 힘들고, 플레이 리스트 관리도 안 되는 점이 특히 그랬다. 평소에 여러 악기를 다루고, 음악에 관심이 많던 그에게, 음악을 쉽고 편하게 들을 방법을 찾으면 사업이 되겠다는 생각이 들었다. 이때부터 두 창업자는 스포티파이를 시작한다.

스포티파이는 공짜로 스트리밍 서비스를 제공한다. 단, 광고를 표시하는 음악 재생 프로그램을 사용해야 한다. 유료 회원의 경우 월 5달러가량 내면, 광고를 보지 않아도 되며, 월 1만 2000원가량 내면, 스마트폰과 같은 모바일 기기에서도 음악을 들을 수 있다. 스포티파이가 주목을 받는 이유 중의 하나는 무료로 듣던 회원들이 나중에 유료로 전환하는 비율이 20%에 달할 정도로 높기 때문이다. 2011년 말 기준으로 전체 회원은 1000만 명이 넘었으며, 이 중 유료 회원이 250만 명 정도이다.

불확실성 속에서 버틴 2년의 시간

스포티파이는 초기부터 불법유통의 가능성 때문에 저작권자들이 싫어하는 다운로드 방식이 아닌, 인터넷을 통한 스트리밍 방식을 선택했다. 기술적인 부분은 유토런트 등을 개발했던 경험으로 이미 어느 정도 구현 가능한 상태였다. 스트리밍 방식이긴 해도, 음악을 선택한 후 실행되기까지의 속도가 상당히 빨라서, 사용자들은 하드디스크에 있는 음악을 재생한다고 느낄 정도였다고 한다. 이러한 사용자 경험은 나중에 대부분의 주요 음원들이 스포티파이에서 서비스되면서, 굳이 하드디스크에 불법 복제된 음원을 가지고 다니는 것이 불편하다고 느낄 정도가 되었다.

"대략 2년 동안 우리는 항상 3주 내에 문을 닫을 수도 있는 상황 속에 있었습니다." 대니얼 에크는 《빌보드》와의 인터뷰에서 창업 후에도 꽤 어려운 시기가 있었다고 이야기한다.

처음 서비스를 시작할 당시부터, 창업자들은 음원 제작자나 음반사와 문제가 생기길 원하지 않았다. 음원 불법 유통으로 나중에 저작권법의 철퇴를 맞은 냅스터의 전철을 밟고 싶지 않았던 것이다.

하지만 음원사업자들의 반응은 뜨뜻미지근했다. 3개월 정도면 유럽에서 서비스할 수 있는 음원을 확보할 것이라 예상했었지만, 뜻대로 되지 않았다. 결과적으로는 음반사들을 만나기 시작한 후 2년이 지나서야 유럽 내 서비스 가능한 음원을 확보할 수 있었다.

초기에 많은 자금으로 시작하긴 했지만, 서비스 개발 및 인력 유지 과정에서 자금이 바닥을 드러내고 있었다. 이제 음원을 서둘러 확보해서 서비스도 시작해야 하고, 동시에 투자도 받아야 하는 어려운 상황이 된 것이다.

4대 음반사들의 전격적 지원을 이끌어 내다

음원 관련 문제해결의 실마리가 풀리기 시작한 것은 스웨덴 내 유니버셜 뮤직 등의 임원들에게 스포티파이를 시연하고 부터다. 실제로 시연된 서비스는 깊은 인상을 남겼고, 입소문이 나면서 음반사들의 반응도 호의적으로 돌아섰다.

2008년에 접어들어 음반사들의 전 세계 매출은 16조 8000억 원 정도로 10년 전에 비해 절반가량으로 줄어 있었다. 이런 상황에서 스포티파이의 모델은 음반사들에게 매력적으로 비쳐졌고, 유니버셜, EMI, 소니, 워너 같은 대형 음반사들이 자신이 가지고 있는 모든 음원과 카탈로그를 스포티파이에 제공하기로 전격 합의하게 된다. 이때부터 스포티파이가 제공하는 음원의 수는 1300만 곡으로 늘어났고, 현재는 1500만 곡 정도를 서비스 중이다.

음반사에서 선금조로 받은 60억 원 덕분에 자금 운영에도 숨통이 트인다. 나중에 주요 음반사들은 스포티파이에 지분을 투자해, 각각 2~6%가량을 소유하게 되는데 합치면 전체 주식 중 약 20%에 달한다고 추정된다. 지분을 가진 음반사는 음악 서비스로 인한 수익을 배분할 때도, 일정 수준의 프리미엄을 제공받는 것으로 알려져 있다.

션 파커, 그리고 페이스북과의 만남

그 이듬해인 2010년에는 냅스터의 창립자였던 션 파커가 스포티파이에 180억 원을 투자한다. 그는 인터넷으로 음원이 불법 공유되는 데 지대한 역할을 했던 전적이 있다. 냅스터 이후 잇따라 새로운 벤처 회사를 만들어서 성공적으로 매각하고, 페이스북의 창립 당시 초대 회장으로 투자하여 막대한 부를 쌓고 있었다. 콘텐츠 제작자들에게 문제가 없는 '착한' 냅스터 모델을 찾던 중, 지인의 소개로 당시 유럽에서 서비스되던 스포티파이를 알게 되고, 이것이 투자로까지 이어졌다. 2009년 8월에 대니얼에게 보냈던 이메일에서 그는 "광고 기반 공짜 스트리밍은 구독과 구매로 유도하기 위한 약물이고, 스포티파이가 정말로 파는 것은 휴대성과 편의성이다"라고 자신의 생각을 적었다.

2010년에 스포티파이는 본사를 런던으로 옮기고, 스웨덴에는 연구 개발 조직만 남긴다. 이후 2011년 초에 러시아의 큰손 투자자인 유리 밀러로부터 추가로 1200억 원 규모의 투자를 받는다. 당시 스포티파이는 1조 원 이상의 가치가 있는 기업으로 평가되었다고 한다.

션 파커는 페이스북의 초대 회장이자 투자자이면서 CEO인 마크 주커버그와 절친한 사이였다. 그가 서유럽 시장에서 잘 나가는 스포티파이를 미국 내 소비자, 그리고 페이스북에 소개하지 않을 이유가 없었다. 스포티파이에게 2011년은 미국 진출, 그리고 페이스북과의 전략적인 제휴의 한 해였다. 6개월간 제한 없는 무료 서비스 기간이 끝나고, 2012년 1월부터 유료 서비스가 도입되었는데, 기대 이상으로 많은 회원들이 유료 회원으로 전환하고 있다고 한다. 공짜 서비스를 써 보게 한 후, 돈 되는 서비스로 사용자를 전환하는 전략이 효과를 보고 있는 것이다.

"냅스터는 서비스로서 일반 사용자들에게 먹혔습니다. 결국 냅스터가 문을 닫은 이유는 콘텐츠를 만드는 쪽에 있는 사람들과의 문제 때문이었습니다. 어렵겠지만 양쪽 모두를 만족시켜야 합니다." 대니얼 에크는 2011년 《비즈니스 위크》와의 인터뷰에서 스포티파이가 콘텐츠를 만드는 쪽의 입장에도 충실했음을 이야기 한다. 사용자들이 음악을 듣는 모든 과정에서 발생한 수익의 상당 부분을 콘텐츠 제공자에게 돌려 준 것도 그런 일환이다.

젊은 층은 편리성과 휴대성에 반하다

콘텐츠 제공자의 이해관계보다 중요한 것은 역시 사용자들이 많이 써주는 것이다. 20~30대의 젊은 층이 많이 사용하는 스포티파이의 경우, 호주머니가 얇아서 음원 불법 복제의 유혹에 노출된 고객층을 잡기 위해 편리성과 휴대성이라는 이점을 제공하고 있다. 지구상 대부분의 음악을 쉽게 찾을 수 있고, 바로 빠르게 재생되며, 플레이리스트도 쉽게 친구들과 공유할 수 있는 것이 불법 복제 사이트와 차별화되는 점이다. "불법 복제 행위를 막기 위해서는 불법 복제를 통한 것보다 편리한 서비스를 만들어야만 가능합니다. 그런 의미에서 스포티파이는 불법 복제 행위와 실제 경쟁하고 있다고 볼 수 있습니다." 션 파커는 2011년 미국에서 열린 페이스북 행사에서 《빌보드》와 인터뷰하면서 스포티파이가 실제로는 불법 복제 사이트와 경쟁하고 있다는 견해를 밝힌다.

무료 서비스는 월 10시간, 같은 곡 감상은 5번 이내로 혜택이 축소되었지만, 스포티파이의 편리함을 맛본 사람들은 서비스를 떠나기 보다는 많은 경우 유료 전환하려는 경향을 보이고 있다. 최근 음악 플랫폼을 개방함으로써 음악과 관련된 앱을 만들 때 스포티파이를 활용할 수 있도록 한 것 또한 향후 전망을 밝게 하고 있다. 음악계의 페이스북 같은 플랫폼이 하나 나올 수 있다고 전문가들이 보는 것이다.

《빌보드》의 분석에 의하면, 스포티파이가 서비스되고 있는 지역의 디지털 음원 매출이 다른 지역보다 세 배 이상 많다고 한다. 또한 미국의 경우 디지털 음원 매출의 80%가 다운로드 매출에서 나오지만, 스포티파이가 대세인 스웨덴은 60%가 스트리밍 매출에서 나온다고 한다. 스포티파이가 음원 유통 방식에 큰 영향을 미치고 있는 것이다. 보다 중요한 것은 데이터다. 음반사나 제작자들은 이제 사람들이 음악을 소비하는 지역, 나이, 성별, 시간대 등을 스포티파이를 통해서 종합 정리된 상태로 파악할 수 있게 되었다. 마케팅 정보로서 상당히 유의미한 수준이라고 한다. 기존에 6개월가량에 불과했던 대중음악의 생명주기도 스트리밍 서비스에 의해 훨씬 더 길어졌다. 음악을 돈 주고 살 때는 최신곡 위주로 고르지만, 무제한 스트리밍의 경우 좀 더 다양한 곡을 고른다. 친구들 사이에 플레이 리스트를 공유하면서 아마존 서점의 그 유명한 롱테일 법칙이 음악에도 적용되고 있다.

이제까지 공짜 서비스의 한계를 극복하고, 성공적으로 고객들을 유료회원으로 전환시킨 스포티파이는, 앞으로도 소비자와 콘텐츠 제작자 양쪽을 만족시켜가면서, 착한 냅스터가 가야 할 길을 보여줄 것으로 기대된다.

스포티파이
에   서
얻은 교훈!

　　스포티파이는 디지털 음악 산업을 바꾼 세 번째 주자로 평가되고 있다. 첫 번째가 냅스터였고, 두 번째는 애플 아이튠스다. 과거와 달리 스포티파이는 음반회사들에게 많은 지지를 얻고 있다. 일부 국가에서는 스포티파이에 힘입어 간만에 음반 산업이 성장을 했다는 이야기도 들린다. 수많은 음악 서비스들이 있지만, 왜 굳이 스포티파이가 중요하게 인식되는 것일까.

　　음악을 공짜로 불법 사이트에서 다운로드해서 듣거나 싸게 곡 단위로 구매한다는 기존 방식에서 탈피했기 때문이다. 스트리밍의 약점을 느낄 수 없을 정도로 편의성과 휴대성이 강화되었고, 전 세계 대부분의 음원이 들어와 있다. 그리고 최근의 소셜 네트워크 분위기와도 기본적인 컨셉트가 잘 들어맞는다. 무료 이용 고객의 유료 전환율이 높은 것도 이런 스포티파이만의 음악 소비 경험에 만족했기 때문이다.

　　그러면 스포티파이의 사례에서 배울 점을 정리해 보도록 하자.

　　우선 나뿐만 아니라 다른 주체들도 같이 잘살 수 있는 공생의 모델을 찾으라는 것을 들 수 있다. 스포티파이의 창업자들은 초기부터 음반사업자들과의 상호 유리한 거래 모델을 만들고자 노력했다. 대니얼 에크 역시 음악을 즐기는 취미가 있었다. 비록 이전에는 불법 공유 프로그램으로 주요 활용되던 토런트와 관련된 프로그램을 만들기도 했지만, 그는 음반사업자와의 관계를 잘 풀어야만 스포티파이가 성공할 수 있다고 믿었다. 과정상으로는 2년 동안이나 협상을 진행해야 했기에 쉽지 않았을 것이다. 결과적으로 다른 경쟁자들에 비해 더 많은 음원으로 서비스할 수 있는 입장에 섰고, 저작권 소송에서도 자유롭기 때문에 좀 더 사업에 집중할 수 있는 여유를 얻었다고 볼 수 있다.

스포티파이는 세계 4대 음반사에게도 20%가량 투자지분을 허용했다. 음반사업자들 입장에서는 음악 판매 수익뿐만 아니라, 스포티파이를 통해서 창출하는 수수료 수익도 배분된다고 할 수 있으므로 어찌 보면 이상적인 모델이라고 할 수 있다. 스포티파이의 경우도 2~3년에 한 번씩 찾아오는 저작권료 재협상 테이블에서 음반사업자들이 우호적으로 나오게 하기 위해서는 이렇게 지분을 나누는 방식이 도움이 될 것이다.

페이스북이라는 전략적 파트너를 찾은 것도 스포티파이의 성장에 큰 도움이 될 것이다. 특히 2011년 미국 진출에 있어서, 페이스북의 F8 컨퍼런스에 초대되는 등 창업자인 대니얼 에크의 활동이 분주해졌다. 페이스북의 회장이었던 션 파커에게서 투자를 받은 이후로, 미국 진출과 페이스북 제휴에 탄력을 받게 된 것이다. 음반사업자와는 음원 공급이라는 측면에서 강력한 제휴가 필요했고, 미국이라는 큰 시장과 연결하기 위해서는 또 다른 파트너와의 공생모델을 찾아야 했다. 미국 진출이 미국 내 회원들의 유료 전환율이 높게 나오는 등 어느 정도 성과를 보이고 있고, 페이스북과의 연계도 본격적으로 시작되어서, 향후가 기대되고 있다.

음악 플랫폼을 외부 개발사들에게 오픈하여, 스포티파이의 플레이리스트 등 주요 서비스 내용을 다른 회사들이 활용할 수 있도록 한 것도 좋은 공생모델이라고 하겠다. 특히 세계적으로 가장 많은 음원을 보유한 회사들 중에 하나기 때문에, 이러한 음원 정보를 기반으로 플랫폼 사업을 전개하는 것은 효과적으로 보인다. 스포티파이가 제공하는 정보와 기능을 외부 개발사들이 많이 가져다 쓸수록, 음악 서비스들이 스포티파이를 중심으로 모이는 하나의 생태계가 형성될 것이다.

두 번째 교훈은 경쟁자를 재정의하라는 것이다. 스포티파이의 경쟁자는 불법 복제 사이트라는 정의는 음반사업자들에게 주는 마케팅 메시지가 아니라, 실제로도 스포티파이의 경쟁력이 무엇인지를 규정하게 된다. 불법 복제를 이용하면 공짜에 가깝게 음악파일을 받아서 들을 수 있다. 그런데 정말로 불법 복제한 음악을 소비하는 데 비용이 안 들었을까. 불법 복제 사이트를 통해 원하는 음악을 검색하는 시간과 과정상의 불편함, 그리고 음악파일을 저장하고 들고 다녀야 하는 것이 모두 돈을 안 낼 뿐이지, 소비자 입장에서는 비용이다. 대부분의 사람들은 찜찜하고 미안한 마음도 같이 들 것이다. 이역시 무시 못할 정서적 비용이다.

스포티파이는 아이튠스나 아마존 뮤직 같은 서비스를 일차 경쟁자로 정하기보다는 불법 복제 사이트를 경쟁자로 정함으로써 무엇에 집중해야 할지를 명확히 했다. 바로 합법적인 음원, 편의성과 휴대성이다. 언제 어디서나, 전 세계 음악을 쉽게 검색해서 바로 들을 수 있는 것이 스포티파이의 경쟁요인이 된다. 또한 플레이리스트를 친구 사이에 서로 공유함게 함으로써, 자연스럽게 음악에 대한 추천 메커니즘을 형성했다. 이는 전체적인 음악 소비를 늘리고 무료 회원들이 유료 회원으로 넘어가도록 하는 동기부여가 되기도 했을 것이다.

경쟁자를 재정의하는 방법은 곧 시장을 재정의하는 방법이 되기도 한다. 기존에 아이튠스 또는 소셜 기반 음악 서비스만을 경쟁자로 보았다면, 아마 스포티파이만의 소비 경험은 탄생하지 못했을 것이다. 투자자였던 션 파커 역시 스포티파이의 이런 휴대성과 편의성에 대해 메일을 통해 높이 평가하는 메시지를 전한다.

사실 위에서 언급한 휴대성과 편의성이라는 것은 쉽게 음악을 찾고, 바로 들을 수 있다는 이야기인데, 이는 음악 소비의 기본에 충실한 가치라고 하겠다. 앞의 공생모델을 찾아서, 지속 가능한 음악 서비스 사업을 준비하고, 음악 소비의 기본적 가치를 충실히 구현한 스포티파이를 통해 기본에 충실한 것이 결국 중요함을 느낄 수 있었다.

이제 스포티파이를 통해 음악의 일상재화는 더욱 가속화될 것으로 보인다. 다만 이전과 다른 점은 음반사업자도 나름의 이익을 챙기며, 불법 복제 시장의 사각지대에 있던 젊은 소비자들도 고객으로 끌어들이고 있는 점이다. 블록버스터가 아닌, 소박한 명곡들도 롱테일의 법칙에 의해 살아남을 수 있는 새로운 경제를 스포티파이가 성공적으로 만들어 갈지 지켜볼 일이다.

PART 6

사회정책 분야의
신흥 플랫포머

만약 당신이 유럽위원회 소속신분이고, 글로벌 스타트업 기업들을 육성하는 방법을 찾는 것이 임무로 주어졌다고 하자. 과거 같으면 산하 연구기관이 만든 조사보고서를 토대로 육성 정책을 만들거나, 공청회나 포럼을 개최해서 관련 분야 전문가들의 의견을 들었을 것이다. 또는 시민들에게 아이디어 공모를 받아서, 가능성은 낮지만 괜찮은 정책 한두 개라도 건지길 기대할 수도 있다. 지금도 이런 방식은 유효하지만, 좀 더 다른 방식으로 답을 찾을 수 있는 방법이 생기고 있다.

그중 하나가 오픈 이노베이션을 이용해서, 누군가 중요한 사회적 주제를 올리면, 많은 사람들이 다양한 아이디어를 제시하는 것이다. 단순히 제안하고, 심사/선정하는 방식을 넘어서, 그 안에서 다양한 의견 개진과 토론이 이루어질 수 있다. 또한 아이디어 모집, 콘셉트화, 심사, 정제, 선정 등 단계별로 아이디어를 발전시켜 나가는 프로세스도 지원한다.

이제 시민들과 함께 사회적 가치가 있는 문제들을 해결해 나가는 사회 정책 분야의 플랫폼에 대해 관심을 기울일 필요가 있을 것이다. 이러한 대표 사례 중의 하나를 이제 만나 보도록 하자.

01 시민에게서 사회문제의 해결책을 듣는다, 오픈아이데오^{OpenIDEO}

길동 씨는 첫아이를 키우면서 최근에 고민이 하나 생겼다. 아이가 피자 같은 패스트푸드나 설탕이 들어간 과자만 좋아하고, 정작 몸에 좋은 신선한 채소나 과일에는 손도 안 대는 것이다. 아무리 어르고 달래도 방법이 안 통하던 어느 날, 우연히 길동 씨는 친구 소개로 어떤 사이트를 알게 되었다. 사회적으로 의미 있는 문제를 올리면, 전 세계에 있는 사람들이 함께 답을 찾는 곳이었다. 과연 돈이 나오는 것도 아닌데 이런 곳에 질문을 올린다고 의견을 주는 사람들이 있을까 궁금했다. 반신반의했지만 속는 셈치고, 자신의 고민을 올려 봤다. 그런데 나흘 후 다시 방문해 보니 놀랍게도 30개가 넘는 아이디어들이 게시판에 올라와 있는 것이 아닌가. 나중에 회원들의 투표로 최종 선정된 몇 개 아이디어는 꽤 쓸 만해 보였다. 도대체 사람들이 왜 이곳에서 자원봉사를 하고 있는 걸까. 그리고 최고의 아이디어는 어떤 방식으로 골라지는 걸까.

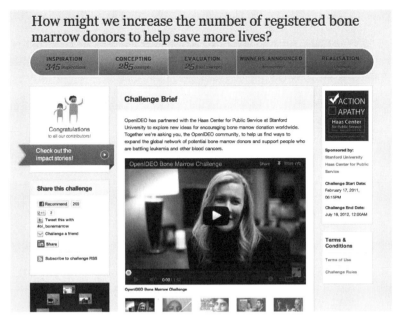

How might we increase the number of registered bone marrow donors to help save more lives?

INSPIRATION
345 *inspirations*

CONCEPTING
285 *concepts*

EVALUATION
25 *final concepts*

WINNERS ANNOUNCED
Announced!

REALISATION

Congratulations
to all our contributors!

Check out the
impact stories!

Challenge Brief

OpenIDEO has partnered with the Haas Center for Public Service at Stanford University to explore new ideas for encouraging bone marrow donation worldwide. Together we're asking you, the OpenIDEO community, to help us find ways to expand the global network of potential bone marrow donors and support people who are battling leukemia and other blood cancers.

OpenIDEO Bone Marrow Challenge

Share this challenge

Recommend 268

추천 2

Tweet this with
#oi_bonemarrow

Challenge a friend

Share

Subscribe to challenge RSS

0:00 / 1:52

OpenIDEO Bone Marrow Challenge

ACTION
APATHY
Haas Center
for Public Service

Sponsored by:
Stanford University
Haas Center for Public
Service

Challenge Start Date:
February 17, 2011,
06:15PM

Challenge End Date:
July 18, 2012, 12:00AM

**Terms &
Conditions**

Terms of Use

Challenge Rules

Haas Center와 함께 골수 기증자를 늘리기 위한 방법을 공모한 챌린지
이미지 출처-오픈아이데오에서 제공(Image courtesy of OpenIDEO)

제품 혁신 분야에서 소셜의 역할에 주목하다

전 세계에서 가장 혁신적인 디자인 컨설팅 회사를 꼽으라면, 항상 빠지지 않는 회사가 있다. 세계 최초의 애플 마우스를 디자인한 곳으로도 유명한 이곳은 디자인 회사로 시작해, 혁신 컨설팅이라는 새로운 장르를 개척했다고 평가된다. 바로 아이데오[IDEO]다. 아이데오는 최근 소셜과 사회적 문제에 대해 관심을 가지고 몇 가지 실험을 진행했다. 그중 대표적인 것이 오픈아이데오[OpenIDEO] 프로젝트다.

우선 아이데오에 대한 이야기를 먼저 조금 더 하도록 하자. 아이데오는 1991년에 디자인 관련 세 개 회사가 합병하면서 탄생했다.

그중 한 회사의 대표였던 데이비드 켈리가 현재 아이데오의 회장이다. 합병 이후에 팀 브라운을 CEO로 영입했고, 그가 현재의 아이데오를 이끌고 있다.

아이데오는 이미 업계에서는 지명도가 있는 회사였지만, 일반인들에게도 유명세를 타기 시작한 것은 1999년 ABC 방송의 '나이트라인'에서 아이데오의 한 프로젝트를 동행 취재하면서부터다. '딥 다이브Deep Dive'라는 에피소드에서는 매장에서 사용하는 쇼핑카트를 완전히 다시 디자인하는 과정이 방송을 탄다. 최근에 다시 보아도 아이데오의 방송 내용은 깊은 인상을 준다. 방송 중에는 다양한 배경을 가진 직원들의 시끌벅적한 브레인스토밍, 회의 후에 매일같이 진행하는 프로토타입 작업, 그리고 매장에 나가서 고객을 직접 관찰하고 통찰력을 얻는 과정들이 나온다. 이런 아이데오의 방식은 여러 기업들이 참고하였다. 고객사가 아이데오에 프로젝트를 맡기더라도, 막상 결과물보다 아이데오의 일하는 방식을 배우는 데 더 열중하는 경우도 있었다.

아이데오는 다양한 배경을 가진 사람들을 참여시켜서 혁신적인 제품들을 만들어 낸다. 직원들은 디자이너, 심리학자, 사회학자, 기술자 등 상호보완 가능한 전문 지식을 보유하고 있다. 이들이 같이 모여서 교류하면, 그것 자체가 작은 르네상스 효과를 만든다. 아이데오는 최근 들어 페이스북과 같은 소셜 네트워크의 유행과 위키피디아처럼 집단 창작물을 활용하는 변화에 주목한다. 이런 변화가 기존의 아이데오가 주도하던 팀 단위 제품 혁신 방식에 어떤 영향을 줄지 확인하고 싶은 것이다. 오픈아이데오의 아이디어는 바로 여기서부터 출발했다.

페이스북을 통한 실험으로 알게 된 점

오픈아이데오를 본격적으로 출범하기 전, 간단히 그 효과를 실험해 보기 위해서 아이데오팀은 페이스북에 '커다란 도전과 소소한 대화'라는 제목으로 간단한 페이지를 하나 만든다. 사회적으로 의미 있을 만한 주제를 제시하면, 방문자들의 의견을 댓글로 받는 식으로 운영했다. 이때 아이데오팀이 알게 된 것이 하나 있었다. 온라인상에서 집단 토론을 통해 문제를 해결해 가는 과정은 기존 아이데오의 프로세스와 달라야 한다는 점이다. 특히 디자이너의 개인적 작업은 집단으로 구현되는 것이 어려운 부분이었다. 아이데오는 혁신 제품이 확정되기 전까지 끊임없이 시제품을 만들며 토론한다. 스티로폼과 나무막대, 종이, 풀, 테이프 등으로 만들어 조잡해 보여도 반복되는 시제품 작업은 제외하기 힘든 핵심 프로세스였다. 이런 문제 때문인지, 오픈아이데오는 제품혁신보다는 주로 사회문제나 정책 관련된 큰 주제를 중심으로 운영을 하고 있다.

페이스북을 통한 실험에서 얻은 데이터를 토대로 아이데오팀은 집단 문제해결 프로세스를 새롭게 설계한다. 그리고 라지블루^{LargeBlue}라는 영국 회사와 계약해 본격적인 웹 사이트 개발에 착수한다. 2010년 8월에는 드디어 베타 사이트를 오픈하게 된다.

어떻게 하면 아이들이 신선한 음식을 좋아하게 될까

베타 오픈 사이트는 아이데오 직원들만 접속할 수 있었다. 오픈아이데오에서는 주제를 정하고, 문제를 풀어나가는 과정을 '챌린지'라고 부른다. 첫 번째 챌린지는 오픈아이데오 사이트의 로고를 디자인하는 것이었다. 아이데오 내부의 디자이너들이 충분히 좋아할 만한 주제였다. 실제로 당시 선정된 로고가 아직까지도 그대로 쓰이고 있다. 사이트에 접속할 때마다 다른 모양의 로고가 뜨는데, 이 자체가 선정된 아이디어의 콘셉트라고 한다.

첫 챌린지에서 발견된 문제를 보완한 후, 오픈아이데오 사이트는 외부에 오픈되었다. 대외 오픈 후의 첫 번째 챌린지는 '어떻게 하면 아이들이 신선한 음식을 좋아하게 될까?'의 해결책을 찾는 것이었다. 누구나 공감하면서 딱히 하나의 정답이 없는 주제였다. 이와 관련해 음식을 통해 비만을 예방하는 캠페인을 활발하게 벌이고 있던 제이미 올리버가 도움을 주었다. 제이미 올리버는 '네이키드 셰프'라는 유명한 요리 다큐 프로그램을 진행했었고, 베스트셀러 작가이기도 하다. 테드 컨퍼런스에서 '아이들이 음식에 대해 배우게 하세요'라는 주제 발표로 상을 받기도 했다. 그가 테드 블로그에 올린 주제 홍보 영상이 사람들 사이에 퍼지며, 오픈아이데오도 자연스레 홍보가 되었다. 이제 사람들은 아이들이 신선한 음식을 좋아할 방법이 무엇일지 아이디어를 올리기 시작한다.

총 581개나 되는 아이디어가 올라온 가운데, 최종 단계에서는 17개의 아이디어가 선정되었다. 예를 들어, 신선 식품을 담을 수 있는 어린이용 쇼핑카트를 도입하자거나 방과 후 요리학교를 만들거나 시금치를 먹으면 뽀빠이처럼 힘이 세어진다는 식으로 아이들이 좋아하는 영웅과 신선 식품을 연결하자는 아이디어들이다.

오픈아이데오는 문제가 주어진 후, 답을 찾기까지 다섯 단계로 절차가 나뉜다. 우선 여러 사람이 아이디어를 내는 단계^{Inspiration}, 이렇게 나온 수많은 아이디어 중 공감을 얻은 아이디어 위주로 솎아 내는 정리 단계^{Concepting}, 아이디어를 좀 더 구체화하는 단계^{Refinement}, 회원들의 평가를 거친 후^{Evaluation} 최종 선정하는 단계$^{Winner\ Announced}$가 있다.

이 단계를 모두 거치고 오픈아이데오에서 선정된 아이디어는 누구나 활용하고, 제품화할 수 있다. 아이디어는 CCL$^{Creative\ Commons\ License}$이라는 저작권의 영향을 받는다. 챌린지를 제안하는 곳은 주로 비영리 기구가 되고 있다. 아이디어를 제품으로 만들려면, 기업의 참여가 필요하기 때문에 비영리 기구가 기업과 같이 컨소시엄을 맺는 경우도 흔하다고 한다.

미국과 아프리카, 어느 곳에서나 적용할 수 있는 방법 찾기

회원들의 경우, 금전적 보상이 따로 주어지지 않는다. 그래서 이들을 참여시키는 것이 서비스 성공의 관건이었다. 오픈아이데오는 명성이라는 것을 하나의 보상으로 제시하고 있다. 챌린지에 참여한 사람들에게는 디자인 지수$^{DQ,\ Design\ Quotient}$라는 것이 주어진다. 활동을 왕성하게 할수록 디자인 지수가 올라가고, 이것을 개인의 명성처럼 느끼게 한다. 일단 챌린지에 참가하면, 사람들이 올린 댓글이나 진행사항들이 메일로 전달되므로 지속적으로 사람들이 챌린지에 관심을 가지도록 유도하고 있다.

오픈아이데오는 몇 가지 독특한 특징이 있다. 우선 복잡한 문제에 대한 일반화된 질문을 주로 던진다. 그리고 하나의 답으로 전체를 푸는 것보다는, 여러 개의 다양한 답이 상호 보완적으로 어우러지는 상황을 선호한다. 종합 솔루션이 아닌, 솔루션의 세트를 원한다고 하겠다. 그리고 최종 선정이 되기 위해서는, 전 세계에서 실현 가능한 솔루션이어야 한다. 선진국뿐 아니라, 아프리카 같은 저개발국에서도 구현할 수 있는 아이디어를 찾는다.

아이데오 입장에서 오픈아이데오는 실험적 프로젝트 성격이 강한 것 같다. 아이데오가 고객사를 위한 제품 개발 프로젝트 등을 진행할 때, 오픈아이데오를 보조적 수단으로 활용하는 것도 염두에 두고 있어 보인다. 그밖에 대기업의 내부 혁신을 촉진하기 위한 용도나 또는 비정부조직NGO의 활동을 위해 플랫폼을 제공하는 방안도 고려하고 있다고 한다.

전혀 다른 배경을 가지고 있는 수만 명의 사람들을 자발적으로 참여시켜서 복잡한 문제에 대한 답을 찾아 나가는 오픈아이데오의 실험은 사람들의 시간을 잘 모아 제대로만 쓴다면, 올바른 사회적 가치를 창출할 수 있음을 증명하고 있다고 하겠다.

오픈아이데오에서 얻은 교훈!

오픈아이데오는 이 책에 소개된 다른 벤처들과는 달리, 아이데오라는 디자인 컨설팅 회사에서 제공하는 실험적 서비스 중의 하나이다. 그래서 오픈아이데오의 교훈이란, 아이데오라는 회사에서 배울 점이 무엇일지 살펴보는 것과 같은 이야기가 될 것이다.

첫 번째 교훈은 거시적 변화에 항상 귀를 기울이라는 것이다. 이미 언급했듯이 아이데오는 혁신 컨설팅으로 유명한 회사다. 아이데오가 생산하는 혁신은 순전히 내부 직원들의 역량을 활용한 것이다. 그 안에서 사용하는 방법론이 매우 참신하고, 강력했기 때문에 아이데오에 독특한 회사라는 차별화된 이미지가 부여되었다.

최근 들어 위키피디아 등 집단지성을 활용한 혁신의 사례들이 쏟아져 나오면서, 이렇게 내재화된 역량만으로 혁신을 지속하는 것도 변화가 필요할지에 대한 질문을 스스로 던지게 된다. 이미 기업들도 오픈 이노베이션이라는 용어를 쓰면서, 기업 내부의 연구 개발 문제를 외부 전문가들에게 자문을 구해 해결책을 찾고 있다. 따라서 혁신 컨설팅을 주요 사업으로 하는 아이데오 입장에서는 이러한 동향이 회사에 미칠 영향에 대해 진지하게 고민할 수밖에 없는 상황이었다.

 필자의 경우에도 요청에 의해 기업 자문을 나가다 보면, 거시적인 변화에 촉을 세우고 있는 기업들의 모습을 발견하곤 한다. 그리고 오히려 운영이 잘되고 있고, 큰 규모의 기업일수록 그러한 변화에 대한 관심이 많은 것을 보고, 의외라는 생각을 했다. 나중에 알고 보니, 실무선보다는 대표이사를 포함한 경영진이 이런 변화를 끊임없이 살피고, 앞으로 회사가 나아갈 방향에 참고할 사항이 없는지 체크한다는 것을 알았다. 끊임없이 자기혁신을 하고, 몸담고 있는 시장에서 어떤 일이 일어나고 있는지를 살피고 그에 맞게 최적화된 움직임을 모색하는 것이 강한 기업을 만드는 하나의 요인임을 느낄 수 있었다.

 그러면 변화를 가장 잘 이해할 수 있는 방법은 무엇일까. 끊임없이 나오는 변화와 관련된 도서나 신문, 잡지 등을 보는 것은 기본일 것이다. 전문가를 초빙해서 약간의 통찰을 얻거나 그 분야에서 발 빠른 회사들의 움직임을 살피는 것도 중요하다. 하지만 보는 것과 안에서 느끼는 것은 다른 이야기다. 그와 같은 거시 변화는 소비자를 보면 알 수 있다. 때론 느리게 나타나기도 하지만, 소비자에게서 일어나는 변화야말로 흐름을 이해하는 데 가장 중요한 지표가 될 수 있다.

 두 번째 교훈은 작게나마 실험을 하라는 것이다. 보고서만 가지고서 모든 것을 판단할 수 있는 시대는 지났다. 어쩌면 보고서를 쓰고 있는 동안에도 세상은 이미 저만큼 변해 있을 수 있기 때문이다. 설문이나 포커스 그룹 등 전통적인 조사방법에서도 그 한계점이 드러나고 있다. 설문항의 순서나 질문방법에 따른 너지^{nudge} 효과에 의해 결과가 달리 나오기도 한다. 이제는 작게라도 실험을 통해 보다 중요한 통찰력을 얻는 것이 중요하다. 이러한 실험을 통해 시장에 대해 좀 더 이해할 수 있고, 이를 통해 최종 제품이나 서비스에 대한 디자인 방향을 좁힐 수 있다.

아이데오는 오픈아이데오 사이트를 바로 개발하지 않고, 우선 페이스북에 페이지를 개설해 간단한 실험을 진행했다. 아이데오에서 질문을 올리면, 페이스북 회원들이 답글을 다는 방식으로 약간 어설프게 진행이 되었지만, 사람들이 질문에 어떤 식으로 반응하는지 살피기에는 충분했다. 이를 토대로 아이데오는 구체적인 제품 혁신 분야보다는 큰 주제의 정책, 아이디어를 공모하는 쪽으로 기획방향을 잡게 된다.

그리고 오픈아이데오를 만든 후, 정식 오픈을 하기 전에 내부 직원만을 대상으로 '로고 디자인' 콘테스트를 연다. 이 과정에서 발견한 좋고 나쁜 점을 정식 오픈 버전에 반영하였다. 시제품의 반복을 통해서 혁신 결과물을 얻는 아이데오의 방식이 사이트 개발에서도 그대로 묻어나는 것 같다.

실험은 반드시 과학실험처럼 엄밀하게 할 필요는 없지만, 고객들의 사용 환경을 충분히 감안해야 한다. 이러한 사정을 감안하지 않으면 반대의 결과가 나오기도 하기 때문이다. 오래전에 펩시콜라가 눈을 가리고 시음을 하는 블라인드 테스트를 했었다. 컵에 각각 따라 놓은 코카콜라와 펩시콜라를 사람들이 마셔보고 어떤 컵에 든 것이 더 맛있다고 하는지 테스트했다. 당시 많은 사람들이 펩시콜라를 선택했고, 이런 장면을 TV 광고에 같이 내보내자 펩시콜라의 점유율도 올라갔다. 코카콜라는 이런 상황에 위기감을 느끼고 좀 더 달고 부드러운 맛을 내는 뉴코크를 출시했다. 출시 전에 블라인드 테스트를 통해 기존 코카콜라와 펩시콜라보다 사람들이 선호하는 것을 확인했지만, 시장의 반응은 형편없었다.

여기에는 코카콜라의 브랜드를 배제하고 실험했기 때문에 브랜드 충성도를 반영하지 못한 문제가 있었다. 톡 쏘는 맛과 코카콜라 브랜드가 같은 선상에 있었던 것이다. 또 뉴코크가 종이컵에 마실 때는 맛이 괜찮지만, 콜라병이나 캔으로 마실 때는 별로였다는 반응도 있었다. 목 넘김이라는 딱히 뭐라 부르기 애매한 감각도 중요했다고 하겠다. 실험에 의미가 있으려면, 시음회에서 캔이나 병째로 음료를 제공하거나, 코카콜라 브랜드를 이야기 해 주고 기존 콜라와 뉴코크를 비교하는 것도 방법이었을 것이다. 결국 사용자의 실제 소비환경에 맞추어야 하고, 그리고 실험이 바라보는 차원이 다양해야 함을 알 수 있다.

세 번째 교훈은 다양성의 힘을 활용하라는 것이다. 아이데오는 디자인 컨설팅 회사지만, 다양한 전문 분야를 가진 사람들이 모여 있다. 심리학자, 사회학자, 기술자, 인문학자 등이 모여서 의견을 나누기 때문에 일상적으로 나올 수 있는 뻔한 결과가 아닌, 창의적인 결과물을 만들어 낼 수 있는 것이다. 이들의 다양성은 브레인스토밍이라는 방법을 사용하여 토론하고, 아이디어를 공유하며 섞이게 된다. 다양한 사람들 간에 아이디어의 화학작용을 일으키는 방법이 곧 브레인스토밍이다.

그런 면에서는 오픈아이데오 역시 전 세계에 있는 다양한 사람들의 아이디어를 모아서, 바람직한 답을 찾기 때문에 공통점이 많다고 하겠다. 오픈아이데오는 비영리 기구와 기업들, 그리고 일반 시민들이 참여한다. 기본적인 구성이 기업과 아이데오 내 구성원들로 진행했던 방식과는 차이가 있다. 그래서 오픈아이데오가 아이데오의 혁신 컨설팅을 보완할 수 있는 훌륭한 대안이 될 것으로 생각되기도 한다.

『메디치 효과^{Medici Effect}』를 저술한 프란스 요한슨은 교차점에서 일어나는 사고의 증폭에 대해 이야기한다. 다양한 발상이 만나는 곳에서 문명의 발달이 있었다는 것이다. 미국이 현재 세계 경제를 이끌고 있는 이유가 다양한 인종과 문화로 이루어진 사회에 있다고 설명되기도 한다. 문명이 꽃을 피웠던 르네상스 시대도 피렌체에서 시작되었고, 다양한 나라에서 온 학자들 간의 교류가 발단이 되었다. 아시아에 있는 국가의 경우 유럽, 미국 등에 비해 집단의식이 강한 편이다. 이런 의식이 단체를 만들고 새로운 멤버를 받아들일 때도 반영이 된다고 한다. 비슷한 유형의 사람을 더 환영하는 것이다. 다양한 사람이 모여야 좀 더 새롭게 배울 부분이 있다는 생각이 많아질수록, 다양함에서 오는 사회적 활기도 상승할 것이다.

오픈아이데오 자체는 사회정책을 담아내기 좋은 틀이다. 국내에서도 영리를 목적으로 하지 않더라도, 이렇게 많은 사람들의 다양한 목소리를 모아서, 사회 발전을 위해 활용하는 움직임들이 나왔으면 하는 바람이다.

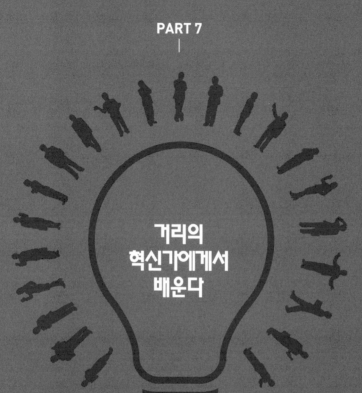

PART 7

거리의
혁신가에게서
배운다

이제까지 우리는 다양한 분야에서 떠오르고 있는 거리의 혁신가들을 만나 보았다. 이러한 혁신가들은 나중에 세상을 바꿀 정도의 아이디어를 찾아내고, 팀을 이끌며 고난의 시간을 거쳐서, 이제 어느 정도 비전을 실현해 가고 있다. 보통 우리가 듣던 이야기들은 누군가 잘 나간다더라, 시장 가치가 얼마로 늘었다더라 하는 식이었다. 피상적인 결과만을 보고 그들을 부러워했다. 거리의 혁신가들이 왜, 그리고 어떻게 그 자리에 서게 되었는지가 사실은 더 중요했음에도 말이다.

아마 지금까지 그들의 이야기를 같이 살펴보면서, 기업이 아닌 창업자들의 모습 하나 하나가 좀 더 가깝게 느껴졌으리라 생각된다. 그것이 소명 의식이든, 꿈이든, 시장에서 발견한 요구든 간에 언제나 시작은 사람이다. 지극히 인간적이고도 열정과 끈기로 단단히 고난의 길을 걸어갔기 때문에 이제 그들에게는 좀 더 밝은 앞날이 기다리고 있다. 꿈과 열정으로 세상을 돕는 것이, 자기 자신을 돕는 것이다. 또는 과거의 자신과 같은 처지에 있는 사람들을 돕는 것이, 미래의 나를 돕는 것이라고 이야기할 수도 있겠다.

모두 제각각의 길을 걸었고, 정형화되어 있지는 않아 보이지만, 이 안에서도 일종의 성공 법칙 같은 것을 발견할 수 있었다. 혁신가들의 이야기 중간에도 교훈에 해당하는 글을 적었지만, 이제 전체적으로 돌아보며, 거리의 혁신가들에게서 배울 점을 정리해 보려 한다.

01 거리의 혁신가들에게서 배울 수 있는 것들

좋은 동업자Co-Founder와 함께 시작하라

짝이 없이 살고 있던 할아버지, 할머니가 5년간 연애를 하고 있었다. 어느 날 할아버지는 할머니에게 청혼을 했다

"저와 결혼해 주시겠습니까?"

할머니는 바로 명랑한 목소리로 "네!" 하고 대답했다. 그다음 날 아침 일어났을 때 할아버지는 할머니가 청혼을 승낙했었는지 잘 기억이 나지 않았다. 그래서 할머니에게 전화를 건다.

"어제 제가 청혼했을 때, 뭐라고 했었죠?"

할머니는 매우 반가워하며 이야기한다.

"정말 전화 잘 주셨어요. 그렇지 않아도 어제 결혼하겠다고 대답을 하긴 했어요. 그런데 그게 누군지 도무지 생각나지 않았거든요."

두 사람의 머리가 하나보다 낫다. 앞의 이야기에서처럼 서로 보완할 수 있는 부분이 있기 때문이다. 특히 스타트업 기업은 여러 가지 험난한 여정을 헤쳐 나가야 한다. 그런 과정에서 아무래도 혼자일 때보다는 둘 이상일 때 의지가 되고, 서로에게 동기부여가 될 수 있다. 그러면 우리가 살펴보았던 거리의 혁신가들은 어땠을까. 열 개의 기업 중에서 여섯 군데가 두 명 이상이 공동 창업자로 시작하였다. 에어비앤비, 스퀘어, 킥스타터 등이 그런 경우다. 이 중에 절반가량은 두 명으로 먼저 시작하고, 나중에 한 명을 추가로 공동 창업자로 참여시켰다. 혼자 창업한 경우에도, 주로 이전에 사업 경험이 있던 창업자인 경우가 대부분이었다. 그렇다고 반드시 공동 창업이 필수조건이라는 의미는 아니다. 성공확률을 좀 더 높이는 방법 정도로 생각하면 되겠다.

공동 창업이 항상 유리한 것만은 아니다. 중요한 의사결정에 대해서는 서로 의논해야 하기에 시간이 걸린다. 사람 간의 일이니 이견이 있는 경우는 다투기도 한다. 그리고 사업의 성과에 대해서 어떻게 배분할지에 대한 기준도 풀어야 하는 민감한 숙제다. 연봉이나 지분관계도 그중 하나이다. 어떤 경우는 심각한 감정 싸움으로 가는 경우도 있다. 이 모든 것이 사람간의 일이기 때문에 어쩔 수 없다. 그래서 이미 서로를 잘 알고 있는 사이가 되어야, 공동 창업의 성공 가능성이 높아진다. 서로의 장단점을 어느 정도 알고 있기 때문에, 행동에 대한 예측 가능성도 뛰어나고, 서로 맞출 수 있는 마음의 여유도 생긴다. 원래 안면은 있어도 서로에 대해 잘 모르는 상황이면,

본격적으로 공동 창업을 진행하기 전이라도 같이 어울리며, 알아가는 시간이 필요할 수 있다.

스포티파이를 대니얼 에크와 공동 창업한 마틴 로렌스턴은 이를 잘 알고 있었다. "저는 대니얼을 만났을 때, 매우 강렬한 인상을 받았습니다. 사업 파트너가 되기 위해서는 형제처럼 그가 좋아져야만 해요. 우리 앞에 수많은 문제가 나타날 테니까요. 회사의 가치는 당신들이 함께 풀어나간 문제의 총합과 같습니다."《포브스》와의 인터뷰에서 마틴 로렌스턴은 같이 문제를 풀어 나가는 데서 창업자들 간의 관계가 매우 중요함을 지적한다. 그래서 자신의 아파트에 대니얼 에크를 초대해서 같이 영화를 보거나 대화를 나누며, 서로에 대해 친근함이 들 때까지 기다린 후, 나중에야 같이 창업을 한다.

실제로 누군가가 어떤 사람인지 속내를 알고 싶다면, 어떤 방법이 있을까. 보통은 같이 카드게임을 하거나 당구를 쳐 보면 알 수 있다고 이야기한다. 바둑을 두어 보면 안다는 이도 있다. 게임 과정에서 발생하는 문제에 대해 어떤 접근 방식을 가졌고, 복잡한 상황에서 감정표현을 어떻게 하는지 보는 것일 게다. 이보다 좀 더 어려운 방법도 있다. 같이 사업을 해 보거나 결혼을 하는 것이다. 물론 여러 사람과 여러 번 해 볼 수 있는 방법은 아니다. 미국의 유명한 벤처캐피털리스트이자, 와이 콤비네이터에서 스타트업 기업을 길러 내고 있는 폴 그레엄은 공동 창업은 결혼과 비슷하다고 이야기한다. 하루 대부분을 같이 지내며, 문제해결에 머리를 맞대기 때문에, 공동 창업자들이 서로 부부처럼 느끼는 시기가 오기도 한다. 서로를 배려하고, 북돋워 주는 관계 관리가 더욱 중요해 보이는 대목이다.

함께 스타트업 기업을 이끌어 나갈 때는 창업자들 간에 역할을 잘 나누는 것이 좋다. 경영, 마케팅, 디자인, 기술 분야 중 어느 부분을 누가 맡을지를 정하고, 일단 맡았으면 해당 역할에 대해 서로 신뢰해야 한다. 그리고 창업자만으로 커버가 안 되는 역할은 추가로 공동 창업자를 영입하거나, 직원을 뽑을 수도 있다.

"당신이 세상에 있는 모든 돈을 갖고 싶어하고, 엄청 뛰어난 아이디어들이 머릿속에 있을 수 있겠죠. 하지만 같이할 사람이 없다면, 그냥 잊어 버리세요." 에어아시아Airasia의 토니 페르난데스 회장은 BBC 뉴스와의 인터뷰에서 이야기한다. 공동 창업은 필요충분조건은 아니지만, 우선적으로 검토해 봐야 할 조건임은 살피도록 하자.

고객이 답을 가지고 있다. 가서 만나고 들어라

한 남자가 젊고 아름다우며, 집안도 부자인 여성과 막 교제를 시작한 상태였다.

그녀의 생일 전날이 되자 스무 살인 나이에 맞춰, 스무 송이의 장미를 선물해야겠다고 생각한다.

바로 평소에 알고 지내던 꽃가게에 전화를 걸었다.

"장미 스무 송이로 꽃다발을 만들어서 아무개 양에게 배달해 주세요. 예쁘게 잘 부탁해요."

전화통화가 끝난 후 꽃가게 주인은 평소에 인사성 밝고, 싹싹한 이 청년을 위해 뭔가 더 해 주고 싶은 마음이 생겼다.

"(점원에게) 이봐. 여기 장미 스무 송이 주문이 들어왔는데. 좀 더 신경 써 주는 게 낫겠으니까, 서른 송이로 예쁘게 만들어서 배달해 드려."

　여성은 서른 송이 장미를 받아들면, 아마 청년이 자신의 나이를 잘못 알고 있다고 생각할 것이다. 꽃가게 주인의 과잉친절이 의도치 않게 불편한 상황을 만들 수도 있겠다. 이는 고객의 의도를 잘못 이해했기 때문이다. 주문한 내용보다 덤으로 많이 주는 것은 일반적인 상황에서는 문제가 안 되지만, 꽃송이 하나가 나이 한 살을 의미할 때는 상황이 다르다. 고객이 꽃을 배달시킴으로서 얻는 가치가 풍성한 꽃다발에서 얻어지는지, 아니면 정확한 꽃송이 개수에서 얻어지는지도 꽃 가게 주인이 관심을 가져야 될 사항이다. 꽃가게를 운영하려 해도 이렇게 머리 아픈 일이 생기는데, 스타트업 기업의 경우야 더 말할 것도 없겠다.
　"만든 사람들의 의도대로 고객이 서비스를 이용하는 경우는 거의 없다고 봐야 합니다."
　유니온 스퀘어 벤처스의 유명한 벤처캐피털리스트인 프레드 윌슨은 어차피 서비스라는 것은 시장에 내놓기 전까지는 가설 위에 지어진 것이라고 이야기한다. 고객들이 필요할 것이라, 좋아할 것이라 생각하는 부분들이 모두 만드는 사람 입장에서의 상상 속에 지은 집이다. 하지만 고객의 의도와 선호가 드러나는 시점은 실제로 고객이 그 서비스를 이용할 때이다. 무관심으로 일관할 수도 있고, 전혀 예상 못했던 곳에서 고객이 열광할 수도 있다. 이런 것이 당연한 현상이라고 받아들이게 되면 창업자들이 처음에 느끼는 당혹감이 조금은 줄어들지도 모르겠다.

거리의 혁신가들도 앉아서 데이터만 수집하는 것이 아니고, 발로 뛰어다녔다. 직접 고객들을 만나며 대화를 나누는 가운데, 고객 입장에서 사업을 바라보는 눈을 갖추게 되는 것이다. 에어비앤비의 창업자들은 회원들이 올린 숙소를 여행객 신분으로 돌아다니며 잠을 잤다. 본인들이 거주하는 아파트가 있었고, 미국 서부에서 벤처 교육 프로그램에 참여하고 있었지만 뉴욕으로 비행기를 타고 날아가 계속 고객을 만나러 다닌다. 고객이 서비스를 어떻게 이용하고, 생각하는지 아는 제일 좋은 방법은 만나서 듣는 것이다.

키바의 경우도 창업자가 아프리카에 직접 방문해 현지인들과 인터뷰하고, 소액 대출 프로그램이 어떤 효과를 일으키는지 직접 눈으로 확인했기 때문에 가능했다. 단지 멀리 떨어진 타국의 가난한 사람들을 돕겠다는 막연한 이상만 있었다면, 실천적인 답을 찾고 강한 동기를 유지하기 어려웠을 것이다. 가서 고객과 만나고, 인간 대 인간으로 대화를 나눴기에 가능성을 확인할 수 있었다. 베터플레이스도 마찬가지다. 이스라엘의 대통령과 총리를 만나고, 자동차 회사의 경영진을 만나면서 전체적인 진행 방향을 점검하고, 일을 풀어나갈 수 있었다. 전기 자동차와 배터리, 전력망이라는 것을 동시에 사업에 끌어들이기 위해서는 베터플레이스 모델에 대한 이해당사자의 시각을 이해하고, 접점을 찾는 것이 중요하다. 오픈스카이의 경우도 유명 블로거들을 섭외하기 위해 우선 메일로 접촉한 후, 창업자가 직접 만나러 다녔다고 한다. 카페에서 만나 이야기를 나누면서, 오픈스카이의 취지를 설명해 주고, 고객이라고 볼 수 있는 블로거들의 의견을 경청했다. 실제로 제품과 서비스를 쓸 고객과의 소통이 원활해야 가장 매력적인 제안을 유지할 수 있다.

고객의 입장에 서 보아야, 진정 고객이 원하는 것을 이해할 수 있다. 그래서 단지 고객을 관찰하는 데서 그치지 말고, 고객이 그렇게 행동하는 이유와, 말하지 않은 욕구나 의도를 파악하는 것이 필요하다. 다음의 이야기는 고객의 문제를 해결하려면, 문제의 원인을 제대로 이해하는 것이 중요함을 알려 준다.

어떤 할아버지가 병원에서 의사와 상담 중이다.

"의사 양반, 내가 이제는 몸이 옛날 같지 않아. 1층 계단 앞까지만 가도 피곤해지고, 2층에 올라가면 식은땀이 흘러. 3층에서는 머리가 지끈거리고, 4층까지 가면 심장이 터질 것 같지. 그러다 5층에 오르면 다리까지 떨리더군."

"아니 어르신, 연세도 있으신 데 무리하시면 안 좋습니다. 그냥 운동은 평지에서 하세요."

"무슨 소리야! 그럴 수는 없지."

"네? 왜요?"

"내가 사는 곳이 아파트 5층에 있거든."

빅 아이디어는 머릿속이 아닌, 주변 관찰에서 온다

아버지가 아들에게 말한다.

"얘야, 관찰하는 능력을 기르려무나. 관찰을 잘하면, 성공한 사람이 될 수 있어. 주위를 잘 돌아보는 습관이 중요하단다."

아들은 맑은 눈으로, 아버지의 말을 마음속에 새겨들었다.

며칠 후에 온 가족이 모여 식사를 하는 자리에서 아버지가 물었다.

"얘야, 내가 이야기한 대로 관찰을 열심히 하고 있니?"

"네, 아빠. 집안에 있을 때, 이전과 달리 흥미로운 것들이 보이기 시작했어요. 예를 들면 금연했다던 삼촌이 라이터를 가지고 다니고 있고, 이모는 며칠 새에 코 모양이 달라졌고, 엄마는 아빠 출근 후에 포도주를 반병씩 마시고, 아빠는 카지노에서 깜빡 잊고 들고 나온 칩들을 서재에 있는 책상 두 번째 서랍에 넣으시더라고요."

아이의 관찰력 때문에 엉뚱한 문제까지 드러나게 되긴 했지만, 아버지의 교육 자체는 훌륭했다. 관찰을 잘하면 성공할 가능성이 높아진다는 것 말이다. 어떤 사람들은 발명도 사실은 발견에 불과하다고 이야기한다. 그래서 창조적인 발견력이 있으면, 그 사람은 아이디어가 많은 사람, 통찰력이 있는 사람으로 알려진다.

그러면 스타트업 기업이 들고 나오는 아이디어들은 발명의 차원일까, 발견의 차원일까. 다른 사람들이 무심코 지나쳤던 기회를 발견한 경우가 더 많다고 개인적으로 생각한다. 특히 성공한 기업들의 이야기 속에는 이러한 기회들의 발견을 자신의 내면에서 찾은 경우도 종종 있다. 창업자 자신 안에 있는 고객의 눈으로 불편하고 개선할 점을 느끼고, 이에 대한 해결책을 사업 아이템으로 하는 것이다. 스티브 잡스가 매일 아침 거울 앞에서 서서 "스티브, 네가 원하는 것을 말해 봐"라고 했던 것과 비슷한 접근법이라고 하겠다. 그렇다고 대부분의 사람들이 잡스처럼 모든 것을 한 번에 갖고 있지는 못하다. 그래서 좀 더 치열하게 고민하던 중 우연히 아이디어를 발견하거나, 개인적인 경험이 나중에 아이디어로 발전하게 된다.

예를 들어 스포티파이에 대한 아이디어는 두 창업자가 같이 아파트에서 아이디어를 찾으려고 이야기 나누던 과정에서 나왔다. 음악듣기를 좋아하던 대니얼 에크는 자신의 홈시어터 PC가 음악듣기에 불편해서, 여러 모로 맘에 들지 않았다. 누구나 편하고 쉽게 음악을 소비할 수 있는 방법이 없을까 하는 생각이 스포티파이로 이어진 것이다. 스퀘어의 아이디어도 두 창업자가 주기적으로 연락을 주고받으며, 같이할 만한 사업 아이템을 찾던 중 우연히 발견한 것이다. 짐 매켈비가 만든 유리세공품을 좋은 가격에 팔 수 있는 기회를 놓치게 되면서, 개인 간 카드 결제 서비스 아이디어를 같이 찾게 된다. 에어비앤비는 임대한 아파트의 월세 자금을 마련할 요량으로, 방 한 칸 빌려 준 경험이 사업 아이디어로 발전한 경우다. 방을 빌린 시기에 우연히도 유명한 디자인 컨퍼런스가 개최될 예정이었고, 인근 호텔의 방이 동난 상태였기 때문에 방을 빌려 줄 생각을 했다. 어쩌면 아파트를 다른 시기에 얻었다면, 창업자들은 전혀 다른 사업을 하고 있을 것이다.

내가 음악을 편하게 듣고 싶고, 개인과 신용카드 거래를 하고 싶고, 빈 공간을 임대해서 자금을 마련하고 싶다면, 다른 사람들도 똑같이 그렇게 느끼지 않을까. 그래서 현재의 나, 정확히는 나와 같은 입장에 있는 사람들의 문제를 해결해 주는 것이 미래의 나를 성공으로 이끄는 방법임을 알 수 있다. 다른 거리의 혁신가들도 비슷하다. 킥스타터의 아이디어는 공연 자금이 부족해서 DJ 초청 공연을 성사시키지 못한 아쉬움에서 출발했다. 쿼키도 창업자가 맥월드 행사에 나가 일루미네이터 프로젝트를 통해 수많은 사람들이 참여하는 집단 제품 개발 프로세스의 위력을 경험했기 때문에 가능했다. 어찌 보면 창업자가 발명에 관심이 많기 때문에, 개인 발명가들의 제품 실현에 대한 꿈을 누구보다 잘 이해하고 있다고 볼 수 있다.

기존 산업에 강력한 도전장을 던진, 거리의 혁신가들의 아이디어가 매우 개인적이고도, 소박한 데에서 출발했다는 것은 재미있는 사실이다. 수많은 서비스들을 벤치마킹하고, 거시 트렌드를 조사하고, 데이터에 파묻혀서 확실한 무언가를 찾으려는 큰 기업들의 시도와는 확실히 다른 면이 있는 것이다. 폴 그레엄은 자신의 블로그에서, 자신이 만나본 스타트업 기업들 중에는 젊을수록 자신의 문제에서 출발한 경우가 많다고 이야기한다. 나이가 들고, 경험이 많아질수록 타인의 문제를 상상해서, 이를 해결하려는 아이디어를 내는 경우가 늘어난다. 그런데 그의 경험으로는 자신의 문제에서 출발한 경우가 좀더 영향력 있는 회사로 발전하는 경우가 많았다고 한다. 아마도 자신이 불편했던 점에서 출발하기 때문에, 이제까지 충족되지 못한 고객의 숨은 욕구를 가장 잘 이해하기 때문으로 해석이 가능할 것이다.

이런 면에서 용기를 가질 필요가 있다. 세상을 바꿀 아이디어에 대단한 지성이나 대기업의 자원이 필요하다고 보이지 않기 때문이다. 본인의 아이디어를 내놓았을 때, 주변의 반응이 영 신통치 않다고 기죽을 이유도 없다. 반짝 떠오른 아이디어 하나에 너무 집착을 하면 문제겠지만, 항상 세상이 최고의 아이디어에 처음부터 팡파르를 울리지는 않는다.

"스타트업 기업의 세계에서는(나중에 가면) 좋은 아이디어라 하더라도, 처음에는 별로라고 평가되곤 합니다. 누가 봐도 좋은 아이디어였다면, 이미 누군가가 하고 있을 테니까 말이죠." 폴 그레엄은 그의 블로그에서 의외로 좋은 아이디어라고 처음부터 평가받고 시작하는 것이 아님을 이야기한다. 에어비앤비의 창업자인 브라이언 체스키 역시 기가옴과의 인터뷰에서 "전통적인 지혜란 과대평가된 겁니다"라고 밝힌다. 현대 사회에서 낯설기만 한 타인에게 방을 빌려 준다는 컨셉트가 처음에는 웃음거리가 되기도 했다. 하지만 불과 몇 년 만에 에어비앤비에 대한 평가는 180도 달라져 있지 않은가.

투명하게 공개하고, 신뢰를 최우선시하라

해외여행 중에 우연히 만난 동행들끼리 서로 친해지기 위해 진실게임을 하기로 했다.

한 여자가 당첨이 되었다. 사람들이 질문한다.

"나이가 얼마 정도 되세요? 물어봐도 안 알려 줘서 궁금했어요."

여자가 잠깐 머뭇하더니, 곧 미소 띤 얼굴로 대답한다.

"스물한 살하고 몇 달 됐어요."

"몇 달이라면, 정확히 몇 달인데요? 진실게임이니까, 대충 거짓말 하면 안 돼요."

여자는 살짝 얼굴이 붉어지며, 작은 목소리로 대답한다.

"150개월이요."

150개월이면 10년이 넘는 시간인데, 딱히 거짓말은 아니지만, 충분히 나이를 혼동하게 하는 답변이다. 아마 이 여성분은 영원히 스물한 살로 남을 수 있을 것 같다.

기업에 있어서, 투명성이란 과연 어떻게 해석할 수 있을까. 영업 및 마케팅을 하다 보면, 실제 이상 부풀려서 제품이나 서비스를 파는 경우가 비일비재하다. 시장에 있는 경쟁자들이 모두 그렇게 하고 있다고 생각하기 때문에 양심의 가책을 느끼는 경우도 많지 않아 보인다. 어떤 경우는 남들 모두 가진 것 이상으로 자신을 파는데, 있는 그대로의 모습만 보여 준다면, 가만히 앉아서 뒤처지는 느낌이 들 수도 있다. 결국 투명성은 진정성이라는 단어로도 바꾸어 쓸 수 있을 것 같다.

경쟁자들을 바라볼 때는 과장 광고의 유혹이 들지만, 결국 그것이 과장됐다고 고객이 깨닫기까지는 오랜 시간이 걸리지 않는다. 물건을 사주고, 서비스를 이용해 주는 가장 중요한 고객에게, 잘못된 정보를 흘리고, 단기적인 성과를 올리려 하는 것은 바람직한 모습은 아닐 것이다. 기업의 마케팅과 영업은 효과적으로 고객의 마음속에 들어가기 위해 가끔 과장되고, 약간 실체를 넘어서는 수준으로 홍보 되기도 한다. 그런데 진정한 투명성이 요구되는 진실의 순간이라는 것이 있다. 어느 기업에나 어김없이 찾아오는 순간이다. 사실 이런 순간에 잘 판단해야, 기업의 철학도 지키고, 고객도 유지할 수 있는 것이다.

키바의 경우에도 어느 정도 거래액이 커진 후에 사고가 생겼다. 아프리카에 있는 지역금융기관의 횡령 사건을 발견하고, 이로 인한 회수 불가능한 금액이 만만치 않음을 알게 된다. 이를 단기적으로 수습하고, 문제를 봉합하는 데 그치지 않고, 키바는 횡령 사건의 내용을 그대로 공개하고, 앞으로 이런 일이 재발되지 않도록 어떻게 힘쓸 것인지 밝힌다. 그리고 회원들이 참여하는 게시판을 통해서, 재발방지 대책을 같이 논의한다. 커뮤니티를 중심으로 사업을 전개 하는 최근 스타트업 기업들의 경우 특히 이런 투명성은 기업의 성장 의 핵심 요건이 된다고 할 수 있다.

에어비앤비의 경우 집을 빌려 주고 난 후 돌아와 보니, 여행객이 도둑으로 돌변하여, 온통 난장판이 된 집 때문에 문제가 되었었다. 개인과 개인 간의 공간을 빌려 주는 사업의 특성상 충분히 일어날 개연성이 있던 사건이 드디어 터진 것이다. 블로그에 피해자의 글이 올라간 후 여론이 악화될 여지가 있었지만, 너무 늦지 않은 시점에 창업자가 공식적인 사과의 글과 강력한 재발 방지 대책 등을 내놓으 면서 사태는 진정된다. 어찌 보면 사업 자체의 취약한 부분을, 그 사 건을 계기로 구조적으로 보완하는 계기를 삼았다고 볼 수 있다.

한 손님이 고급 레스토랑에서 스테이크를 주문한다.

잠시 후 웨이터가 가져온 스테이크를 보더니, 손님이 말한다.

"도대체 이게 뭐죠? 얼마 전에 똑같은 스테이크를 시켰을 때는 이 것보다 두 배는 더 양이 많았는데."

웨이터는 당황하는 기색 없이 정중하게 묻는다.

"손님, 죄송하지만 이전에 오셨을 때는 어느 테이블에 앉으셨나요?"

"그때는 저쪽 밖이 훤히 보이는 창가에 앉았었죠. 그런데 그건 왜 요?"

웨이터는 그럴 줄 알았다는 듯, 미소 지으며 대답한다.

"저희는 항상 창가에 앉으시는 손님들께는 좀 더 큰 스테이크를 드립니다. 밖에 지나가는 분들에게 광고 효과가 있거든요."

광고 효과를 노리고 창가에 앉은 고객에게 두 배나 더 큰 스테이크 를 주는 것이 어디 유머 속에만 있는 일이겠는가. 텔레비전의 맛집 탐 방 코너 같은 경우에도, 푸짐하게 나오는 음식들이 카메라 앞이기 때 문에 평소보다 갑절 푸짐하리라는 것은 누구나 짐작하는 바이다. 필 요한 상황에서만 좋은 말로 대하고, 극진하게 하는 기업을 신뢰하기 는 어려울 것이다. 정말로 가까이 해야 할 고객이나 파트너가 있다면 투명하게 공개하면서 상생하는 방안을 모색하는 것도 방법이다.

스포티파이의 경우 음반사업자들의 관심을 얻기 힘든 어려운 상 황에서도, 결국 2년 만에 유럽 전역에 서비스할 수 있는 주요 음원을 확보할 수 있었다. 이는 스포티파이 자체가 훌륭한 특징을 가진 이

유도 있지만, 음반사업자들에게 상생할 수 있다는 믿음을 주었기 때문이라고 본다. 나중에 투자자 지분으로 20%가량 음반사업자를 참여시킨 것도 경영의 투명성을 기반으로 가장 중요한 파트너들과 함께 가려는 생각으로 해석된다.

기업의 투명성, 진정성이 시험받는 시기를 넘겨야, 비로소 작은 성공을 넘어, 큰 성공으로 도약할 수 있는 것이다.

첫 술에 배부를 수 없다. 생존 능력을 키워라

한 신사가 길을 가다가 지갑을 땅에 떨어뜨렸다.

그 사실을 모르고 계속 걸어가고 있는데, 저만치서 한 소년이 그를 불러 세운다.

소년이 건네준 지갑 안을 살펴본 신사는 얘기한다.

"음, 희한하군. 분명 내가 지갑을 잃어 버렸을 때만 해도, 5만 원짜리 지폐 두 장이 들어 있었는데, 지금 보니 만 원짜리 10장이 들어 있네?"

소년은 밝은 목소리로 대답했다.

"네, 아마 맞을 거예요. 지난번에 다른 분께 지갑을 찾아드렸을 때는 지갑 속에 잔돈이 없어서 제가 아무것도 못 받았거든요."

이 소년의 생활력 하나는 인정해 줘야 할 것 같다. 특히 지갑을 찾아주고, 보상금을 받기 위해 지폐를 잔돈으로 바꿔서 준비해 주는 센스는 칭찬해 주고 싶다. 어찌 보면 소년은 푼돈을 버는 자신의 사업모델을 위해 진지하게 노력하고 있는 것이니까 말이다.

스타트업 기업들이 벌이는 사업은 단기적으로 승부가 나지 않는 경우가 대부분이다. 일정 규모 이상의 회원을 확보하고, 제품과 서비스를 시장이 원하는 방향으로 수정하는 과정이 필요하다. 그리고 그 안에서 활발한 거래가 일어나려면 참여 주체들이 다들 열심히 써 주어야 한다. 브랜드나, 서비스 인지도 역시 나아지려면 오랜 시간이 걸린다. 그러면 문제는 사업을 준비하는 데, 자금과 시간은 계속 쏟아 부으면서, 수익은 나지 않는 일명 죽음의 계곡을 어떻게 건널 것인가이다.

이런 이유로 작은 수익이라도 벌 수 있는 꼭지들을 같이 모색을 해야 한다. 폴 그레엄은 이럴 때 필요한 것이 '라면 프로핏^{Ramen profit}'이라고 표현한다. 창업자들이 라면이라도 먹고 버틸 정도로 내는 최소한의 수익을 말한다.

그런데 꼭 이렇게 어렵게 할 필요가 있을까. 사업 개시와 동시에 투자를 받고, 그것으로 사업을 확장하고, 그때쯤이면 어느 정도 고객도 생기고 수익도 날 테니, 또 투자받고 하면 되지 않을까. 이렇게 생각하는 경우도 있을 수 있다. 하지만 현실이 그리 녹록치 않다는 것은 잠깐이라도 사업에 몸담아 본 사람들은 알 것이다. 투자를 하려는 사람들은 보통 계곡의 시작이 아닌, 너머에서 기다리고 있기 때문이다. 그래서 계곡을 넘는 것도 하나의 창업자들에 대한 시험이자 중요한 여정이라고 할 수 있다. 운 좋게 계곡 초입에서 투자자를 만났다 하더라도, 시험 무대는 또 저 너머에 다른 방식으로 기다리고 있을 것이다.

"작년에 저희는 거의 물속에 가라앉기 직전이었어요. 우리는 별로 매출도 없었고, 사람들이 블로그를 읽을 때는 물건을 안 사더군요. 손에 신용카드를 들고 있지 않았던 거예요." 오픈스카이의 창업자인 존 캐플란은 《비즈니스 인사이더》와의 인터뷰에서 창업 초기의 아찔했던 상황을 이야기한다. 월 6000만 원 가까운 목표 매출이 나지 않아서, 사업이 큰 절벽 앞에 다다른 느낌이었을 것이다. 이런 상황은 다른 창업자들에게 흔한 일이다.

에어비앤비의 경우 초기에 거래액이 많지 않아서 생활비를 따로 벌어야 되는 형편이었을 때, 대선 시즌에 맞춘 시리얼 제품 1000개를 팔아서 현금을 마련했다. 당시 주변에서는 이제 시리얼 장사로 사업을 바꾼 거냐고 묻는 사람들도 있었다고 한다. 하지만 그때 시리얼을 팔았기 때문에 CNN 뉴스에도 소개되고, 나중에 저명한 투자가의 눈에 띄게 된다. 세상일이라는 것이 결코 하찮은 일이 없는 것이다. 어느 시점에서든 최선을 다할 수 있는 자세가 필요하다.

"멈추지 마세요. 아무것도 안하는 것보다는 실수라도 하는 게 낫습니다. 그러면 최소한 거기서 무언가는 배우니까요." 킥스타터의 창업자인 페리 첸이 테드 컨퍼런스와의 인터뷰에서 한 말이다. 킥스타터에 대한 구상이 페리 첸에게 떠오른 지 7년 후, 그리고 공동 창업자를 만나서 준비를 시작한 후 4년 만에야 킥스타터는 세상에 모습을 드러낸다. 이렇게 오랜 준비 기간은 추진하는 입장에서는 결코 마음 편한 상태라고 보기 힘들다. 분명 몇 번 포기하고, 다른 일에 시선도 뺏겨보고, 투자자의 정중한 거절도 숱하게 받았을 것이다. 개발자들 역시 대단한 호응을 보이진 않았다. 결국 4년의 준비 기간 동안 창업자들은 생계를 꾸리면서, 준비해야 하는 시간을 보내야 했다. 이래서 생존 능력이 중요한 것이다.

쿼키의 창업자 역시 클러스터를 2년 동안 운영하면서 마음에 차지는 않았을 테지만, 포기하지 않고 직접 디자인 하우스를 만들어, 쿼키 서비스를 시작했다. 스포티파이의 경우 2년이란 긴 시간 동안 음반사업자들과의 협상이 지지부진하여, 서비스를 시작도 못하는 상황이었다. 꽤 큰 자본금을 가지고 시작했지만, 음원 협상과 서비스 개시라는 두 가지 큰 과제 앞에서 의지를 잃지 않은 것은 배울 점이 충분하다고 본다.

나이키의 창업자 필 나이트가 이런 이야기를 했다고 한다. "사업을 성공시키는 것은 간단한 일이다. 그냥 성공할 때까지 계속하면, 결국 마지막에는 성공하는 것이다." 물론 성공할 때까지 그냥 계속하는 것이 보통 사람의 의지로 쉬운 일이 아님을 밝힌다. 하지만 고진감래라고 하지 않았는가. "실패했기 때문에 포기한 것이 아니라, 포기했기 때문에 실패했다"라는 이야기도 있다.

거리의 혁신가들이 겉으로 보기엔 화려하고, 쉬운 길을 간 것처럼 보여도, 누구나 그 성공의 이면에는 고난을 극복하고, 꿋꿋이 여정을 계속한 열정이 있음을 확인하는 것만으로도 용기를 얻을 수 있지 않을까.

피봇^{Pivot} 하라

마차를 타고 가는 사람에게 유대인이 물었다.

"여기서 얼마나 가야 아무개 마을이 나오나요?"

"한 30분 정도 걸립니다."

"그럼, 좀 얻어 타고 갈 수 있을까요?"

"물론이죠, 어서 타세요."

그런데 마차를 타고서 한 시간은 족히 지난 것 같은데, 마을은 그림자도 안 보였다.

"마을은 아직 멀었나요?"

"한 시간 이상 더 가야 있습니다."

"뭐라고요? 처음에는 30분 정도 걸린다고 하더니, 이미 도착했어도 모자랄 시간인데, 한 시간 이상 남았다고요?"

"제가 말을 안 했나요? 이 마차는 마을 반대 방향으로 가던 중이었는데요."

마차에 올라 탄 나그네는 거리만 물어 보고, 당연히 마차가 마을 쪽으로 갈 것이라 착각했다. 방향은 물어 보지도 않아, 반대 방향으로 가고 있음을 나중에야 깨닫는다. 이렇게 어디로 가는지도 잘 모르면서, 빨리 가는 것에만 신경 쓰는 것이 어디 유머에만 있는 일일까 싶다.

기업이 내놓은 제품이나 서비스가 시장이 원하는 것인지는 언제 알 수 있을까. 대개의 경우 시장에 출시한 이후에 알 수 있다. 물론 각종 시장 조사기법을 통해서 사전에 시장의 반응을 확인하려고 하지만,

이 또한 정확도가 그리 높아 보이지 않는다. 만약 정확도가 정말 높다면 시장에 내놓고 실패하는 제품이란 거의 없을 것이기 때문이다.

고객이 원한다고 생각했던 것, 중요하다고 생각해서 만든 제품이 막상 시장에 나와 보아야, 그러한 시장에 대한 가설이 얼마나 정확한지 비로소 알 수 있다. 시장은 보고서 안에 있는 것이 아니고, 그냥 그 자체로 존재하는 것이다. 소비자 자신도 제품이나 서비스가 나오기 전까지는 자신이 그것을 어떤 식으로 소비하게 될지 알지 못한다. 그래서 요즘 소비자의 경험이라는 단어가 중요하게 대두되고 있는 것이다. 소비자가 제품이나 서비스를 사용하는 순간이 기업 입장에서는 숨을 잠시 죽이고 바라봐야 할 진실의 순간이기도 하다.

시장에서 제품이 실패하는 이유는 간단하다. 고객이 원하지 않는 제품을 만들었기 때문이다. 그러면 이렇게 잘못된 가정으로 시장 실패를 경험하는 경우, 거리의 혁신가들은 어떻게 했을까. 바로 기존의 모델을 시장에 맞게 변경하는 작업, 즉 피봇^{Pivot}을 했다.

피봇 자체에 대해서는 오픈스카이 편에서 어느 정도 다뤘으니, 자세한 이야기는 넘어가겠다.

"만약 제품이 시장과 맞지 않으면 빨리 피봇을 해야 합니다." 오픈스카이의 창업자인 존 캐플란은 CBS와의 인터뷰에서 피봇은 서두를 수록 좋다고 이야기한다. 오픈스카이의 경우 초기에는, 블로거들이 자신이 운영하는 블로그에서 상품을 전시해 팔도록 사업모델을 잡았다. 그러나 방문자들이 상품을 열심히 사 주지 않자, 나중에는 자체 쇼핑몰을 만들어서 큐레이터들이 추천하는 상품들을 판매하게 된다. 트위터처럼 큐레이터를 팔로우한 사람들에게는 일주일에 한 번씩 상품 홍보 메일이 발송된다. 이러한 변화를 서둘러 진행함으로써, 사업이 좌초하기 전에 성공적으로 부활할 수 있었다.

두 집이 낮은 울타리를 사이에 두고 마주보고 있었다.

그중 한 집에서 암탉을 키우고 있었는데, 자꾸 건너편 집으로 넘어와서 화단을 망쳐 놓았다.

화가 난 화단 주인은, 닭들을 우리에다 키워 달라고 요청했지만, 닭 주인은 반응이 여전히 심드렁하다.

그런데·얼마 후부터 갑자기 닭들이 돌아다니는 모습이 보이지 않았다.

다른 이웃이 그 이유가 궁금해서 화단 주인에게 묻는다.

"닭 키우는 분이 드디어 생각을 바꾸었나 보네요? 웬일이죠?"

"별거 아니네. 도무지 이야기해도 통하질 않아 내가 꾀를 좀 냈지. 닭이 화단에 왔다가 돌아간 뒤에, 미리 몰래 화단에 갖다 두었던 달걀을 바구니에 담는 모습을 보여 줬거든."

화단 주인이 계속 닭에만 집중했다면, 닭 주인과 대판 싸움이 났을 것이다. 하지만 달걀 하나라도 자기 것은 남 주기 싫어하는 사람의 기본 심리를 이용하기로 작전을 바꾸었고, 문제는 쉽게 풀렸다. 이른바 피봇도 작전 변경이라고 볼 수 있다. 전략보다 전술적인 측면에서의 유연함이라 하겠다.

쿼키의 경우는 클러스터를 통해 기업이 일반인들로부터 아이디어를 구할 수 있도록 중개해 주는 역할을 했지만, 맘에 드는 성과가 나오지 않았다. 그래서 쿼키를 만든 후 개인 발명자들의 아이디어를 사람들의 의견을 모아서 정제하고, 이를 제품화해 주는 디자인 하우스 역할을 하게 된다.

스퀘어의 경우는 처음 시작은 개인 간 카드 결제 거래를 중개해 주는 역할로 시작했다. 네모진 하얀 카드 인식기 때문에 하드웨어 회사라는 이미지를 얻기도 했지만, 비전은 소프트웨어에 있다고 보고 계속 그에 맞는 서비스를 내놓고 있다. 카드 인식기 없이 카드 결제를 매장에서 할 수 있는 카드 케이스와 레지스터가 그것이다. 나중에 어느 시점이 되면, 카드 인식기가 없더라도 스퀘어는 계속 성장할 수 있을 것이다.

그밖에 이자를 받는 모델을 생각하다가, 법 제도 때문에 이자 없는 대출 모델로 전환한 키바도 있다. 킥스타터는 프로젝트를 등록할 때 수수료를 받으려다가, 나중에 이를 무료화하고, 중개수수료로 모델을 바꾸었다.

피봇은 이처럼 사업 전체를 하나의 실험으로 보고 실험의 결과를 겸허히, 그리고 재빨리 받아들이는 자세이기도 하다.

02 플랫포머로서의 성공 비밀

작아 보이는 것이, 나중에 보면 큰 것이다

건장하게 생긴 사내가 바텐더 앞에 앉은 후, 독한 럼주 열 잔을 주문했다.

바텐더가 건넨 열 잔을 단숨에 들이켠 후, 다음에는 여덟 잔을 주문한다.

이번에도 여덟 잔을 순식간에 마시고 난 뒤, 여섯 잔을 주문한다.

그다음에는 넉 잔, 두 잔…… 갈수록 주문하는 양이 줄어든다.

"좋아, 이번에는 마지막으로 한 잔만 따라 보게."

마지막 잔을 비우고 술값을 낸 후, 사내는 벌떡 일어나 성큼성큼 걸어 나간다.

아니나 다를까. 술이 과했는지 입구 근처에서 기우뚱하더니 넘어지고 만다.

사내가 하는 말.

"이상하네. 점점 더 조금 마셨는데도, 왜 이렇게 어지럽지?"

술을 조금씩 마시더라도, 자주 많이 마시면 취할 수밖에 없다. 그래서 술 앞에 장사 없다는 말도 있지 않은가. 가랑비에 옷 젖는다는 말도 여기서는 비슷한 의미일 것이다. 이렇게 작은 것들이 계속 쌓이면 눈사람처럼 크게 되는 것도 있지만, 원체 시작 자체를 소박하게 했는데, 나중에 지나고 보니 세상을 바꿀 만한 큰일이더라는 경우도 있을 수 있다.

앞서 아이디어를 얻는 방법 중에서 창업자 개인의 경험으로부터 아이디어를 얻은 경우, 나중에 생각보다 큰 사업이 되는 경우가 많다는 데서 출발해 보자. 개인적으로 불편한데, 이를 해결해 주는 제품이나 서비스가 없는 경우, 해결방법을 사업 아이디어로 잡았다고 하면, 그 적용 범위가 구체적이고, 한정적일 가능성이 높다. 예를 들어 방을 단기 임대로 내놓을 사람을 찾거나 개인 간 카드 거래가 가능한 방법을 제공하는 식이다. 에어비앤비의 이야기에서 살펴보았지만, 이제 방을 임대해 준다는 개념에서 벗어나, 집, 아파트 한 동 전체, 펜트하우스, 성, 이글루, 나무 위 오두막 등 다양한 공간들이 이곳에서 여행객을 유혹하고 있다. 이제는 호텔, 극장, 사무실, 비행기, 크루즈선 등도 충분히 대상이 될 수 있다는 이야기다. 호화 요트 같은 경우는 이미 사이트에 등록되고 있는 것으로 안다. 한마디로 제품의 범주가 방 한 칸에서 공간을 가지는 지구상 모든 것이 된 것이다.

그러면 대상 지역은 어떨까. 초기에는 국제 컨퍼런스가 많은 뉴욕, 샌프란시스코가 중심이었다. 이곳으로 유입되는 여행객만 잘 잡아도 충분한 서비스 규모가 나오기 때문이다. 그래서 해외 여행객 중에서 미국에 방문하는 사람들이 좀 더 많이 이용했다고 치면, 이제는 전 세계적으로 많은 공간이 등록되어 있어서, 세계 대부분의 곳에서 에어비앤비에 등록된 숙소를 찾을 수 있다. 지역 범위 역시 미국, 그것도 특정 도시 중심에서, 이제 전 지구적으로 넓어진 것이다.

스퀘어의 경우에도 개인 간 카드 결제를 가능케 해 주는 조그맣고 네모난 카드 인식기로 출발했다. 개인 간 카드 결제를 할 만한 상황은 보통 두 가지경우다. 벼룩시장 같은 곳에서 개인들이 쓰던 물건을 사고팔거나, 매장형 카드 단말기를 들여 놓기 애매한 영세 사업자들이 장사를 할 때이다. 이 역시 대상 시장으로 놓고 보면, 기존의 카드 결제의 주류 시장에서는 벗어나 있었다. 한마디로 니치 영역이었다. 하지만 이제 스퀘어는 비자, 마스터처럼 카드 가맹 브랜드로 거듭나고 있다. 매장 밖의 윈도우를 보면 당당하게 다른 카드 가맹 브랜드와 나란히 붙어 있다. 이곳에서는 스퀘어를 쓸 수 있는 곳이라는 의미다. 스퀘어를 사용하는 회원이 늘어나고, 거래액도 연간 5조 원을 넘어가면서, 매장들도 스퀘어 회원들을 자연스럽게 배려하게 된다. 대상 시장도 주류 시장인 매장 결제 쪽으로 활발히 진출하고 있다. 태블릿에 스퀘어 앱을 설치하면 매장 단말기로 변신한다. 고객들은 굳이 카드를 들고 다니지 않아도, 스퀘어 앱을 스마트폰에 설치하면, 결제가 가능해진다. 수십 년간 변화가 없던 카드 가맹 브랜드에, 생긴 지 5년도 안 되는 벤처기업인 스퀘어가 당당히 이름을 올린 것은 대단한 일이 아닐 수 없다.

"수백 년 동안 커뮤니케이션 분야에서는 많은 혁신이 있었고, 디자인도 훌륭했었죠. 하지만 결제 분야에도 똑같은 이야기를 하긴 어렵겠네요." 스퀘어의 창업자인 잭 도시는 《테크놀로지 리뷰》와의 인터뷰에서 혁신이 적었던 결제 분야에 변화를 주도하겠다는 포부를 밝힌다. 조그만 카드 인식기 하나로 시작했지만, 이제 스퀘어가 현금을 사라지게 할지도 모른다는 전망도 나오고 있다. 작은 것 안에 큰 것이 있었던 것이다. 산 위의 커다란 나무도 자그마한 씨앗 하나에서 출발한다. 그 씨앗 안에서 얼마나 큰 나무를 발견할지는 아이디어 자체의 타고난 유전자도 작용하겠지만, 창업자의 비전이 보다 더 중요한다.

스포티파이의 경우는 어떨까. 창업자인 대니얼 에크가 홈시어터 PC보다 편한 음악 소비 방법을 찾고자 했을 때만 해도, 그냥 플레이어에 광고를 표시하는 공짜 음악 스트리밍 서비스 정도로 생각되었다. 하지만 그것이 굉장히 휴대하기 쉽고, 간편한 방식으로 제공되면서, 또한 플레이리스트 공유가 활성화되고, 음반사업자와의 상호 유리한 구도를 만들어 내면서 이제 다음 세대를 여는 음악서비스로 부상하고 있다. 냅스터, 아이튠스처럼 디지털 음악사의 세대를 구분 짓는 서비스 대열에 그 이름을 올리고 있는 것이다. 유럽 지역을 중심으로 서비스되던 지역적 한계도, 2011년 미국 진출을 계기로 전 세계로 뻗어 나가고 있다. 또한 공짜 음악 서비스란 이미지를 서서히 벗어나면서, 무료 회원의 유료 가입 전환율이 25% 가깝게 높이 나오고 있다. 둘째가라면 서러울 정도의 많은 음원과 사용자들의 음악 소비에 대한 정보를 가지고 있기 때문에, 이런 정보를 외부 개발사들이 가져다 쓸 수 있도록 플랫폼 생태계를 만들고 있다. 음악과 관련된 분야에서만큼은, 페이스북의 지위를 노리고 있는 것이다. 션파커 회장을 통한 페이스북과의 강력한 연대는 해당 가능성을 더욱 높여 주고 있다.

킥스타터의 경우도 작고 소박하게 시작했지만, 점점 그 가능성의 경계가 넓어지고 있다. 창업자인 페리 첸이 기획하던 공연이 무산되면서, 예술가들을 후원하는 서비스를 만들려는 취지로 서비스가 시작되었다. 하지만 킥스타터의 가능성은 훨씬 더 넓게 뻗어 나갈 수 있다. 그러한 데에는 두 가지 정도 이유가 있다. 우선 여러 사람들이 모여서 후원하는 방식에 의해, 다른 사람과 기업을 지원하는 것이 가진 다양한 적용 가능성 때문이다. 크라우드 펀딩의 영역으로 기존의 단순한 후원부터, 제품과 서비스 구매, 대출, 자본 투자 등 못할 것이 없기 때문이다. 킥스타터는 후원과 상거래의 중간에 있기 때문에 프로젝트를 개설한 사람이 주는 보상의 형태가 제약이 없다. 이것이 기존의 방식 대비 킥스타터를 더 빛나게 한다.

또 다른 가능성의 근거는 생산 전에 수요를 미리 확인하고, 고객과 깊은 관계를 맺을 수 있기 때문이다. 이미 만들어진 제품을 쇼핑몰에서 파는 방식은 킥스타터에 맞지 않다. 앞으로 만들려고 하는 제품과 이것과 관련된 꿈, 이야기들에 사람들이 호응한다. 그러니 생산 전에 킥스타터에 올리고 사람들의 반응이 좋을 때만 생산하는 식으로 수요를 확인하는 리트머스 용지처럼 활용할 수 있다. 기존의 생산방식이 연역적이었다면, 킥스타터의 경우는 귀납적이라고 할 수 있다. '만들어 놓고 판다'가 아니라 '팔리니까 만드는 것'이다.

이처럼 이 책에서 다룬 거리의 혁신가들은 소박하게 자신의 문제를 해결하고자 시작한 사업이지만 그 안에는 자신들도 예상치 못했던 가능성이 있었음을 나중에 알게 된다.

처음부터 이런 부분까지 충분히 예상한 경우도 있긴 할 것이다. 하지만 대개의 스타트업 기업은 3개월 앞도 확신할 수 없는 불확실성의 바다 위에서 배를 띄우고 항해를 해야 한다. 씨앗 속에 있는 나무가 어느 하늘 아래서, 얼마나 크게 자랄지를 미리 알기는 힘든 것이다. 오히려 이걸 예측하기보다는 최초에 만족시키고자 했던 한 명의 고객을 위한 최고의 서비스를 만드는 것이, 그 가능성을 높이는 방법이 될 것이다.

초기에는 양면 시장을 일면화해라

한 여자가 사귀는 남자 친구를 집안에 소개시키기 위해 데려왔다. 아버지가 잠시 단둘이 이야기해 보겠다며 남자 친구와 함께 서재로 갔다.

잠시 후 돌아온 아버지는 단호한 표정으로 얘기한다.

"미안하지만 저 친구는 안 되겠구나. 알고 보니, 너희는 이복 남매란다."

그 후로도 몇 번 다른 남자 친구를 집에 데려왔지만, 똑같은 일이 반복됐다.

화가 난 여자는 엄마에게 가서 하소연한다.

"엄마, 도대체 인생을 어떻게 사신 거예요? 마을에서 제 맘에 드는 또래 남자들은 다 저하고 남매지간이란 말이에요."

엄마는 차분하고, 따뜻한 목소리로 이야기한다.

"얘야, 걱정할 것 하나도 없단다. 그 사람들 누구하고든 결혼해도 괜찮아. 실은 네 아버지는 다른 분이셔."

엄마에게 놀라운 고백을 들은 여자는 머릿속이 분명 복잡했을 것이다. 결혼 문제는 풀렸지만, 부모님과 관련된 새로운 문제가 생겼기 때문이다. 어쨌든 여기서는 결혼 문제가 풀린 부분만 집중적으로 살펴보기로 하자. 위의 이야기에서 여자가 결혼을 하려면 부모님과 남자 친구 모두의 승낙을 모두 얻어야 한다. 다른 두 그룹의 고객을 동시에 만족시켜야 하는 양면 시장이라고 할 수 있다. 문제는 부모님, 특히 아버지의 반대였다. 하지만 어머니의 고백으로 반대 이유 자체가 유명무실해지고, 남자 친구만 좋다면 언제든 결혼할 수 있는 일면 시장이 되었다.

양면 시장은 플랫폼 사업이 가지는 대표적인 특징 중에 하나이다. 필자의 저서인 『플랫폼 전쟁』에서도 자세하게 언급되어 있지만, 서로 다른 두 개 이상의 고객 그룹이 서로 긍정적인 네트워크 효과를 내는 시장이 양면 시장이다. 두 고객 그룹을 동시에 끌어들이기만 하면, 네트워크 효과에 의해 플랫폼이 빠르게 성장할 수 있다. 하지만 이 '동시에'라는 조건 자체의 성립이 쉽지 않다. 긍정적인 네트워크 효과가 있는 대신에, 서로 먼저 상대방이 시장에 들어오기를 기다리기 때문이다. 펭귄 효과라고도 한다. 겁 많고 무리 지어 생활하는 습성이 있는 펭귄은 물속의 천적인 바다사자가 무서워 바닷속에 먼저 뛰어들고 싶어하지 않는다. 그 대신 다른 펭귄이 먼저 뛰어들면, 뒤따라 우르르 뛰어든다.

스타트업 기업들의 사업 아이디어가 플랫폼의 양면 시장 특성을 지닌다면, 초반에 가입자들을 모으기가 쉽지 않다. 펭귄 효과 때문이다. 다른 그룹의 펭귄 떼들은 서로 나머지 그룹의 펭귄들이 물속에 뛰어들기를 기다린다. 그러면 이런 경우 어떻게 초기 가입자들을 확보할 수 있을까. 마케팅과 언론 홍보 등도 물론 도움이 된다. 가능한 수준에서 적극적으로 하는 게 맞다. 좀 더 플랫폼적인 관점에서는 한쪽 그룹의 고객에게 보조금을 줘서 많은 사용을 유도하는 것이다. 펭귄으로 비유하면, 바닷물 속에 펭귄이 좋아하는 물고기들을 한 트럭 풀어 놓으면, 배고픈 펭귄들 위주로 먼저들 뛰어들 것이다. 그러면 다른 그룹에 있던 펭귄들도 뛰어들어 바다는 물 반 펭귄 반이 된다.

여기까지가 일반적인 플랫폼 초기 전략이다. 그러면 가난한 스타트업 기업들이 보조금이라는 것을 주는 것이 가능한가. 혜택을 더 주거나 사용료를 일정기간 안 받는 식으로는 가능할 것이다. 하지만 좀 더 구조적이고, 똑똑하게 양면 시장에 초기 대응하는 방법이 있다.

바로 양면 시장을 가입자가 늘어날 때까지만이라도 일면 시장화하는 것이다. 쇼핑몰을 운영하다가, 회원들이 충분히 늘면 그때 옥션이나 지마켓처럼 오픈 마켓으로 전환한다고 생각하면 되겠다. 물론 실제로는 사업의 내용에 따라 고려할 사항들이 많이 있다.

거리의 혁신가들의 예를 한 번 들어 보기로 하자.

스퀘어가 이렇게 단기간에 빨리 성장할 수 있었던 이유는 무엇일까. 개인 간 카드 거래를 할 때, 물건을 파는 입장의 사람만 스퀘어 회원이고, 네모난 스퀘어 카드 인식기를 사용한다. 물건을 사는 입장에서는 기존의 마그네틱 신용카드를 별 생각 없이 스퀘어 카드 인식기에 긁으면 결제가 이루어진다. 물건을 파는 쪽, 즉 가맹점 측만 스퀘어를 도입하면 되는 구조다. 결제라는 것은 결제 수단을 기준으로, 소비자와 가맹점이 둘 다 필요한 양면 시장이다. 그럼에도 스퀘어는 기존 마그네틱 신용카드를 그대로 수용했기 때문에, 소비자 측면에서는 바뀔 것이 없었다. 양면 시장을 일면 시장화한 것이다. 이것은 매장에서 스퀘어를 이용해, 고객의 주문을 받고, 결제하더라도 마찬가지다. 소비자는 바꿀 것이 없다. 이런 식으로 매장에 스퀘어가 많이 도입된 연후에는 소비자 쪽을 바꾸려는 시도를 한다. 카드 케이스 앱을 통해서 카드 대신 스마트폰으로 결제가 가능하도록 한 것이다. 이것은 정확히 양면 시장이다. 소비자와 가맹점 모두 스퀘어를 이용하도록 바뀌어야 하기 때문이다. 이미 가맹점 쪽은 많이 늘어난 상태이고, 꼭 앱을 설치하지 않아도 기존 방식대로 신용카드를 긁어서 결제가 가능하기 때문에 양면 시장이 무리 없이 돌아가는 것이다.

그러면 모든 경우 스퀘어처럼 쉽게 일면 시장화할 수 있는 걸까. 그렇지 않다. 고객 그룹이 플랫폼을 인지하고, 사용하도록 해야만 되는 사업들이 많이 있다. 에어비앤비 같은 경우도 그런 예가 될 것이다. 방을 빌려 주는 사람, 빌리는 사람 모두 에어비앤비 사이트를 통해서 예약이 가능하다. 방을 빌리는 사람만이라도, 기존의 유명한 숙박시설 예약 사이트를 통해서 에어비앤비에 등록된 숙소를 예약할 수 있도록 한다면 이 또한 일면 시장화하는 게 될 수 있다. 그러한 제휴는 경우에 따라 가능할 수도 있고, 아닐 수도 있다.

그러면 에어비앤비는 어떻게 문제를 풀었을까. 방을 빌려 주는 공급자 측면에서 뉴욕과 같은 중요한 도시 속의 공간을 확보하는 것에 주력했다. 창업자들이 여행객의 신분으로 고객을 만나러 다닌 것에도 뉴욕은 1순위였다. 일단 양면 시장 중 먼저 확보할 필요가 있는 사이드를 정하고, 이중에서도 핵심적인 황제 펭귄을 골라서 집중 공략하는 것이다. 마케팅과 고객 서비스도 초기에는 이 황제 펭귄을 위하는 것이 좋다.

정리하면 양면 시장을 대상으로 하는 스타트업 기업의 플랫폼 전략 첫 번째는 어느 정도 규모로 성장할 때까지만 일면 시장화하는 것이다. 그 방법은 아래와 같다.

- 이미 바다 속에 있는 펭귄 떼를 노린다(굳이 고객의 행동 변화를 요구하지 않는다).
  - 예: 스퀘어를 이용할 때 소비자는 기존 신용카드를 그대로 긁어서 사용한다(가맹사만 모집하면 되므로 문제가 단순해짐).
- 우선순위가 높은 황제 펭귄을 집중 공략한다.
  - 예: 에어비앤비는 여행객이 많이 오는 뉴욕을 집중적으로 공략한다(가장 인기 있는 도시의 숙소를 많이 확보하므로, 여행객 유인이 쉬워짐).

위의 두 가지 방법은 동시에 추진될 수도 있다. 에어비앤비의 예로 설명하자면, 뉴욕을 집중 공략해서 숙소를 발굴하면서도, 여행객들은 기존에 많이 이용하는 여행 숙박시설 예약 사이트를 통해 에어비앤비의 묵을 곳을 정할 수 있게 하는 것이다.

동시 확보 전략으로 승부하라

한 남자가 친구에게 고민을 털어놓고 있다.

"이상하게 집에 결혼할 맘으로, 여자 친구를 데려가면 엄마가 별로라고 반대를 하시네. 한두 번도 아니고."

"그럴 땐 방법이 있지. 사람들은 비슷한 성향을 좋아하거든. 어머니하고 성향이 비슷한 여자를 사귀어서 집에 데려가 보면 어때?"

그러자 그 남자 한숨을 푹 쉬더니, 대답한다.

"그 방법도 써 보긴 했지. 근데 그게 말야……. 이번엔 아버지가 반대하셔."

"……."

이 남자는 상당히 용감한 아버지를 둔 것 같다. 어머니와 비슷한 며느릿감을 감히 반대하다니 말이다. 아무튼 현재 상황에서 남자가 결혼을 하려면 아버지와 어머니를 동시에 만족시킬 수 있는 여자를 찾는 수밖에 없어 보인다.

양면 시장을 대상으로 하는 스타트업 기업의 경우도 이런 상황에 직면할 수 있다. 두 고객이 동시에 들어오지 않으면 성립이 안 되는 경우다. 예를 들어 당신이 도심형 어린이 테마파크 사업에 관심이 있다고 하자. 정확히 말하면 인기 캐릭터를 가지고 놀이공간을 구성할 수 있는 회사들만 골라서, 전체적으로 모아 건물 한 층을 테마파크로 만드는 것이다. 유명 백화점에 제안서를 내서 한 층을 빌릴 생각인데, 백화점에는 통상적인 임대료의 절반만 내고, 테마파크 수익의 절반을 주겠다고 이야기한다. 캐릭터 놀이공간 사업을 하는 중소 회사들에게는 유명 모 백화점에 입주할 수 있게 해 주겠다고 이야기한다. 그럼 이 시점에서 어떤 상황이 발생할까.

백화점은 당신에게 캐릭터 업체들과 맺은 계약서를 요구할 것이다. 수익 배분 이슈도 있고, 인기 있는 캐릭터 업체가 실제 들어오기로 한 건지 알아야 하기 때문이다. 반면 캐릭터 업체는 당신에게 백화점과 맺은 입주 계약서를 요구할 것이다. 그렇게 고급 백화점에 입주한다기에, 당신의 제안에 그나마 관심을 두기 때문이다. 백화점은 당신과 계약 전에 캐릭터 업체와의 계약서를 보기 원하고, 캐릭터 업체 역시 당신과 계약 전에 백화점과의 입주 계약서를 보려 한다. 동시 충족해야 하지만 이게 잘 안 되는 형국이다.

이런 경우 어떻게 문제를 풀어야 할까. 이럴 때 필요한 것이 플랫폼의 동시 확보 전략이다. 사실 이미 힌트는 거리의 혁신가들 이야기에서 언급되었다. 베터플레이스의 경우를 한번 돌아보자. 베터플레이스 역시 전기 자동차용 충전소를 보급하는 데에서, 비슷한 문제에 직면했었다. 전력 공급 및 투자를 승인해 줘야 하는 이스라엘 정부 입장에서는 앞으로 몇 년 안에 전기 자동차가 수십만 대 생산될 거라는 보장이 필요했다. 자동차 회사 입장에서도 생산한 자동차가 충분히 시장에서 팔릴 것이라는 보장이 필요했다. 베터플레이스는 이스라엘 정부와 자동차 회사가 모두 필요했지만, 어느 곳하고도 아직 계약을 맺지 못했다.

그래서 전기 자동차 수십만 대가 생산될 시에만 유효하다는 것을 명시한 조건부 투자의향서를 이스라엘 정부에게서 받고, 이를 토대로 자동차 회사들의 참여를 유도할 수 있었을 것이다. 조건부 가계약서를 먼저 쓴 후, 조건이 충족되면, 본 계약서를 작성하면 된다.

그러면 다시 이전의 테마파크 이야기로 돌아가 보자. 이제는 방법이 쉽게 생각날 것이다. 백화점에서 조건부 가계약서를 확보한 후, 이를 캐릭터 업체에게 보여서 유명 백화점 입주에 문제가 없음을 확인시킨다. 캐릭터 업체들과의 계약을 마친 후, 이를 토대로 백화점과 본 계약을 체결할 수 있다.

"저희가 찾고 있는 교통 측면에서 섬과 같은 곳들은 여러 나라에 있습니다. 싱가포르와 영국도 되겠군요. 많은 국가들에서 지역 파트너들을 발굴할 거예요. 저희 단독으로만 해 보려는 생각은 없습니다." 베터플레이스의 창업자인 샤이 아가시가 로이터와 인터뷰한 내용에 의하면 여러 나라로 뻗어 나가며, 지역 파트너와 손잡을 생각이다.

동시 확보 전략은 첫 단추를 끼우기 위한 용도이다. 베터플레이스가 일단 자동차 회사를 수십만 대의 자동차를 생산하도록 설득한 이상, 다른 국가들로 확장할 때는 좀 더 상황이 수월해진다. 당신이 만든 테마파크 회사가 다른 백화점에 또 들어선다면, 캐릭터 업체들이 또 이전처럼 까다롭게 나오지는 않을 것이다. 이미 당신과 한번 계약을 한 상태이고, 어지간하면 당신이 이번에도 그 백화점과의 입주계약을 따낼 것으로 믿을 테니까 말이다.

스타트업 기업을 위한 두 번째 플랫폼 전략이라 할 수 있는 동시 확보 전략은, 기반을 제공하는 고객과 상품을 제공하는 공급사 중간에서 당신이 플랫폼 사업을 하는 경우에 요긴할 수 있다. 그 방법은 다음과 같다.

- 상황 : 한 마리황제 펭귄과, 자잘한 꼬마 펭귄들 중간에 당신이 있을 것이다.
    - 황제 펭귄은 백화점, 꼬마 펭귄들은 캐릭터 업체라고 보자.
- 황제 펭귄이 먼저 한쪽 발을 바닷물에 담그고 있게 한다.
    - 기반 제공자에게서 조건부 계약서나 의향서를 받는다.
- 한쪽 발을 담근 황제 펭귄을 본 자잘한 펭귄들이 물속에 뛰어든다.
    - 상품 제공자들과 계약을 체결한다.
- 황제 펭귄도 따라서 물속에 뛰어든다.
    - 최종 계약서를 기반 제공자와 체결한다.

동시 확보 전략은 일면 시장 전략만큼 일반적이진 않다. 하지만 양면 시장의 고객이 주로 기업에 해당하는 경우는 이런 케이스가 생각보다 많을 것이다.

결국 사람들의 문제를 해결해 주는 서비스가 성공한다

한 직원이 늦게 일어나는 습관 때문에, 거의 매일 사무실에 늦게 출근 했다.

참다못한 상사가 그를 따로 불러내서 최후통첩을 했다.

"앞으로도 계속 늦게 나올 거면, 그만둘 각오를 해야 할 거요."

고민에 빠진 직원은 담당 의사에게 가서 아침에 일찍 일어날 수 있게 도와 달라고 말한다.

"걱정 마세요. 이 약을 며칠간 먹으면 상태가 호전될 겁니다."

집에 돌아와서 처방받은 약을 먹은 후 잠자리에 들었다.

그리고 잠에서 깨어 눈을 떠 보니 아침 이른 시간이었다.

기분도 상쾌하게 아침을 먹고, 즐거운 마음으로 직장에 출근했다.

사무실에서 상사를 보자, 환하게 웃으며 말한다.

"어제 병원에서 받아 온 약이 효과가 있는 것 같아요."

"그래, 그거 잘된 일이군. 그런데 자네 말이야. 어제는 왜 출근 안 했나?"

담당 의사가 처방한 약은 잠을 푹 자게는 해 주었지만, 일찍 일어나게 도와주지는 못했다. 나름 효용은 있었지만, 고객의 진짜 요구하고는 거리가 멀었다고 하겠다.

우리가 이제까지 살펴보았던 거리의 혁신가들은 조금씩 다르면서도 비슷한 모습을 보였다. 아이디어를 찾고, 서비스를 만들고, 투자가와 만나고, 작은 성공 후에 오는 위기의 순간을 극복하는 과정에서 보여 주는 열정과 끈기가 특히 비슷한 점이다.

콜럼버스가 신대륙을 발견하기 위해 벌였던 7년간의 준비 기간과 예상치 못했던 상황에서의 위기 극복 과정이 거리의 혁신가들에게도 비슷하게 반복되고 있다. 그것은 아마 기존에 없던 새로운 것을 개척하는 사람들의 여정에 항상 준비된 줄거리와도 같은 것이리라. 그 여정을 즐기면서, 극복하면 성찬이 되지만, 그냥 물러서면 장애물로 기억되는 다양한 엔딩이 있는 영화같이 말이다.

거리의 혁신가들이 이룬 또 하나의 성과는 그들이 제공하는 서비스가 사람들에게 실제로 도움이 되고 있다는 것이다. 쿼키의 경우 개인 발명가들이 아이디어를 제품으로 만들도록 돕는다. 테크숍은 아이디어를 직접 구현해 보려는 좀 더 적극적인 사람들에게 도움이 된다. 키바는 저개발국의 사업자들이 자립할 수 있도록 돕고 있다. 스퀘어는 개인이나 영세 사업자들이 신용카드로 물건을 팔 수 있도록 돕는다. 킥스타터는 후원이 필요한 예술가와 기술자들을 돕고, 베터플레이스는 지구 온난화에 시달리는 지구를 도우려 한다. 에어비앤비는 공간을 빌려 줘 현금을 확보하려는 고객을 돕고, 오픈스카이는 과다한 쇼핑정보에 피곤한 사용자들을 돕는다. 스포티파이는 음반회사와 불법 복제보다 나은 음악 소비를 원하는 사람들을 돕고, 오픈아이데오는 비영리 기구들이 시민들의 아이디어를 활용하도록 돕니다.

결국 누군가를 돕는 마음으로 시작한 서비스가 세상을 바꾼다. 그 누군가가 자신이 될 수도 있고, 주변의 다른 사람이 될 수도 있다.

지금은 모두들 각 분야의 대표 선수로 발돋움하고 있는 거리의 혁신가이자, 떠오르는 신흥 플래포머, 그리고 타이탄에 맞서는 아테네의 젊은 신들이지만, 이들의 시작은 미미했다. '차고 속의 두 사내'들이었다. 마이크로소프트의 빌 게이츠 전 회장이 거리의 혁신가들을 두려워했던 것은, 그 자신 또한 '차고 속의 두 사내' 출신이기 때문이리라.

폴 그레엄이 블로그에 적은 다음 글이 인상 깊다. "스타트업 기업의 세계에서는(나중 가면) 좋은 아이디어라 하더라도, 처음에는 별로라고 평가된다. 누가 봐도 좋은 아이디어였다면, 이미 누군가가 하고 있을 테니까 말이다." 이 말을 내 식으로 다음처럼 바꿔 보고 싶다.

원래부터 좋은 아이디어란 없다. 좋은 실천만이 있을 뿐이다.

거리의 혁신가들에 대한 이야기를 책으로 내면서, 개인적으로도 많은 생각을 하게 되었다. 겉으로만 보고 피상적으로 넘어갈 수 있었던 그들의 이야기에서, 성공이란 불꽃 축제처럼 화려하고, 섬광처럼 지나가는 것이 아니라는 것을 알았다. 거리의 혁신가들의 성공은 오히려 모닥불과 닮았다. 꺼진 듯하면서도, 불씨가 남아 있는 한 계속 발화점을 찾아서 움직이고, 그렇게 동이 트는 새벽까지 버티는 면을 보면 말이다.

그리고 성공이란 매우 다양한 요인이 만나는 곳에서 이루어진다는 것을 확인했다. 단지 아이디어만 좋거나, 끈기만 있거나, 유연함만 있다고 일이 되는 것이 아니다. 이러한 모든 것이 적절히 조화를 이루어야, 남이 가 보지 않은 길 위에서 모두가 다니는 큰 길로 되돌아가려는 유혹을 견딜 수 있다. 그리고 유연하기 때문에 쉽게 부러지지 않고, 결국 좋은 아이디어를 통해 사람들의 문제를 해결해 주기에, 이로부터 세상의 보상을 받는다.

그런 면에서 놓고 본다면, 이 책은 꼭 기업을 꿈꾸는 사람들을 위한 책은 아닐 것이다. 세상에서 어떤 식으로든 자아를 실현하고자 하는 사람들, 자신의 문제해결을 통해 타인의 문제해결도 돕고자 하는 사람들, 어려움과 시련 앞에서 가끔 가던 길을 되돌아가야 했던 나약한 자신의 모습을 떨치고자 했던 사람들 모두에게 여기에 나오는 거리의 혁신가들은 용기와 지혜를 주고 있다고 생각한다.

이 책을 쓰면서 나중에 기회가 된다면, 국내의 스타트업 기업들에 대한 이야기도 한 번 정리해서 세상에 알려 봤으면 좋겠다는 생각을 했다. 해외에서는 기업들의 배경 이야기를 상당히 중요시하고 있어서, 이에 대해 창업자들이 널리 홍보하고, 정보에 대한 접근성 자체도 좋은 편이다. 국내는 아직 스타트업 기업들이 자신만의 배경 스토리를 만드는 것에 익숙지 않은 것 같다. 좀 더 시간이 지나면, 스타트업 기업들도 나름의 지혜를 가지고, 변화하는 시장에서 많은 기회를 찾을 것이라 생각한다. 성장도 중요하지만, 진실성이 담보된 자신만의 이야기를 가지는 것, 이것이 사실은 스타트업 기업을 하는 또 다른 이유가 될 수도 있지 않을까. 어차피 인생은 여정이고, 모든 여정은 좋은 이야기를 필요로 하니 말이다.

검단산 정상 밑, 약수터에서 물 한 잔을 축이며
조용호

1장 고난을 극복하고 아이디어를 실현한 작은 거인들

위키피디아, Christoper Columbus

『위대한 발자취: 콜럼버스』(피터 크리스프 지음, 피터 데니스 그림, 문학동네 어린이, 2005)

『연금술사』(파울로 코엘료 저, 문학동네, 2001)

2장 제조 분야의 신흥 플랫포머

01 전 국민 아이디어 공작소, 쿼키

쿼키 홈페이지, Quirky.com

Enterpreneur 매거진, Quirky: The Solution to the Innovator's Dilemma

InspringYoungPeople, Ben Kaufman, Founder And CEO Of Quirky

Business Inside, This Guy's New Crowdfunding Site Could Be The Next Big Thing In Retail Innovation

Gizmag, The mophie Bevy – the first Illuminator–built product

NewYorkTimes, Putting Innovation in the Hands of a Crowd

02 가내수공업의 부활을 꿈꾸는 공장, 테크숍

Renaissance Man 블로그, Jim Newton Techshop Founder와의 대화

The Almanac News, Atherton man unveils industrial workshop for public use in Menlo Park

The Daily Beast, Where Entrepreneurs Go Shopping

CNet News, Tooling around San Francisco's TechShop

Why Didn't I Think Of That, TechShop

Wired, Wired Video: TechShop Opens Tool Heaven in San Francisco

Txchnologist, TechShop + Kickstarter = A New Paradigm for Manufacturing?

The News Heralds, ALLEN PARK: Create your invention at TechShop

Daily Tech, Ford, TechShop Aim to Turn Everyday Joes Into Rich and Famous Inventors

Core77 Magazine, AU2011:TechShop's Mark Hatch

OregonLive, TechShop Portland goes Chapter 7; new site possible in 2011

boingboing.net, BoingBoing Video: Revisited TechShop, as Portland Site Launches

Makezine.com, Is the TechShop model in trouble?

3장 금융 분야의 신흥 플랫포머

01 작은 기업가와 큰 세상을 연결하다, 키바

키바 홈페이지, kiva.org

TED Speech(Jessica Jackley), Poverty, Money and Love

Stanford Graduate School of Business, Kiva CaseStudy

MIT Press, Kiva and the Birth of MicroFinance

MIT Press, Kiva at Four , Skoll World Forum 2009

02 벼룩시장을 즐겁게 하는 개인 간 카드 거래, 스퀘어

스퀘어 홈페이지, squareup.com

Fast Company, How Jack Dorsey's Square Is Accidentally Disrupting The Entire Payments Industry

Fast Company, Square Brings Credit Card Swiping to the Mobile Masses, Starting Today

Fast Company, Getting Square: A Guide to the New Mobile Credit Card Payment System for iPhone and Android

Technology Review, The New Money

GigaOM, Jack Dorsey on Square, How It Works & Why It

03 크리에이터를 위한 21세기 르네상스를 꿈꾼다, 킥스타터

킥스타터 홈페이지, kickstarter.com

TechCrunch, Founder Stories(Kickstarter): Going Direct To The Audience For Crowdsourced

Wired, How Kickstarter Became a Lab for Daring Prototypes and Ingenious Products

NPR, Dreams For Sale

nofilmschool, How they Kickstarted Kickstarter: 45 Minutes with Co-founder Yancey Strickler

KickStarter 블로그, Happy Birthday Kickstarter!

KickStarter 블로그, 2011:The Stat

TechCrunch, Kickstarter Launches Another Social Fundraising

위키피디아, KIckStarter

CoFounder, Yancey Strickler co-founder of Kickstarter

thinkwithgoogle.com, Kickstarting

NPR, Yancey Strickler, Co-Founder Of Kickstarter

TED Blog, Fellows Friday with Perry Chen

TPM, Kickstarter Expects To Provide More Funding To The Arts Than NEA

Inc, How to Use Kickstarter to Launch a Business

Inc, The Get Ahead Guide: Perry Chen Thinks His Website Could Be as Big as YouTube

4장 자동차와 숙박 분야의 신흥플랫포머

01 본격적인 상용 전기 차 충전소를 짓다, 베터플레이스

위키피디아, Shai Agassi

Clean Tech Investing In Israel, Deutsche Bank: Project Better Place has "the potential to eliminate the gasoline engine"

Wired, Deutsche Bank Loves Shai Agassi's Plan to Bring Us EVs

Wired, Shai Agassi Wants to Sell Electric Cars Like Cell Phones

The NewYork Times, Reimagining the Automobile Industry by Selling the Electricity

Charlie Rose, Shai Agassi, CEO of Better Place

Reuters, INTERVIEW—Israel Corp eyes partners for electric car venture

Scribd, Project Betterplace Projecting the Future of Energy, Transportation and Environment

TED, 전기 자동차를 위한 샤이 아가시의 대담한 계획

Israelly Cool, Buying the Lead — Better Place and the Smart Grid

02 전에 없던 숙박 경험을 제공한다, 에어비앤비

에어비앤비 홈페이지, airbnb.com

에어비앤비 홈페이지, 창업 스토리

boompedia.com, Brian Chesky's Success Story

GigaOM, What Every Startup Can Learn From

AirBnB 블로그, The Story of AirBnB

Techcrunch, Airbnb Founder Eats His Own Dogfood, Goes 'Homeless' For

Around the World and Back Again Blog, Airbnb Nightmare: No End In Sight

EJ 블로그, Violated: A traveler's lost faith, a difficult lesson learned

Paul Graham Essay, Subject:AirBnB

Fred Wilson 블로그, AirBnB

The Wall Street Journal Blog, Fred Wilson Offers Rare Glimpse Into One That Got Away

The Wall Street Journal VentureWire, THE SERIES A TEAM: Travel—Rental Company Airbnb Finds Its Space

Greylock Partners, The Entrepreneur Questionnaire: Brian Chesky, Co—Founder and CEO of PSFK, Joe Gebbia Tells the AirBnB Story

Marshable, AirBnB: "We Screwed Up And We're Sorry"

AirBnB 블로그, Our Commitment to Trust & Safety

5장 유통과 미디어 분야의 신흥 플랫포머

01 상품 판매에 큐레이터를 도입한다, 오픈스카이

오픈스카이 홈페이지, opensky.com

오픈스카이 블로그, blog.opensky.com

AllThingsD, OpenSky Raises $30 Million for Twitter—Inspired Shopping Site

BusinessInsider, OpenSky Hits 1 Million Users And More Than $1.5 Million In Monthly Sales

CBS News.com, OpenSky: Build It So They Will Come —— and Open Their Wallets

Bloomberg, Interview with Founder

ShePosts.com, OpenSky Changes Ire Some Bloggers···But Is It Just Smart Business?

Michael Ruhlman, Open Sky: A New E—Commerce Idea and Company

02 공짜음악도 상업이 된다, 스포티파이

The Next Web, Spotify:The Story So Far

Business Week, Daniel Ek's Spotify: Music's Last Best Hope

KRCRTV.com, Spotify Founder: Future Of Music Is Access, Not Ownership

CNN Tech, Spotify founder: I'm not music industry's savior

Billboard.biz, Killers, Snoop Dogg, Jane's Addiction Rock Sean Parker's f8 Conference/Party

RollingStone.com, Spotify Reaches 3 Million Subscribers While Rhapsody Aims to Relaunch Napster in Europe

Forbes, Spotify's Daniel Ek: The Most Important Man In Music

http://faculty.chicagobooth.edu/steven.kaplan/research/kss%20ppt.pdf

6장 사회정책 분야의 신흥 플랫포머

01 시민에게서 사회 문제의 해결책을 듣는다, 오픈아이데오

pierrot-peladeau.net, Open IDEO: a world open participative model for identificaiton of social innovation concepts

AIGA, Case Study : OpenIDEO

OpenIDEO, Create an inspirational logo for OpenIDEO

89.3KPCC, LA County crowdsources ideas for new voting system

OpenIDEO, How can we raise kids' awareness of the benefits of fresh food so they can make better choices?

7장 거리의 혁신가에게서 배운다

Paul Graham Essay, paulgraham.com

『메디치 효과』(프란스 요한슨 지음, 세종서적, 2005)

『플랫폼 전쟁』(조용호 지음, 21세기북스, 2011)

이미지 링크

p.20 http://www.flickr.com/photos/tais/2512183655
p.24 http://www.flickr.com/photos/ddebold/2386922188
p.39 http://www.flickr.com/photos/mariosp/6551252467
p.57 http://www.quirky.com/learn
p.137 http://www.flickr.com/photos/btrplc/6782130361
p.145 http://www.kasbahdutoubkal.com/cd/i/kdt/hr/lg/ke/KasbahMain.jpg,
        http://www.airbnb.com/rooms/13338
p.153 http://www.psfk.com/2011/09/joe-gebbia-tells-the-airbnb-story.html
p.155 http://www.psfk.com/2011/09/joe-gebbia-tells-the-airbnb-story.html

KI신서 4073

스트리트 이노베이터

1판 1쇄 인쇄 2012년 6월 20일
1판 1쇄 발행 2012년 6월 25일

지은이 조용호
펴낸이 김영곤 **펴낸곳** (주)북이십일 21세기북스
부사장 임병주
MC기획1실장 김성수 **BC기획팀** 심지혜 장보라 양으녕 **해외기획팀** 김준수 조민정
출판개발실장 주명석 **편집1팀장** 정지은 **책임편집** 조유진 **디자인** 박선향
마케팅영업본부장 최창규 **마케팅** 김현섭 김현유 강서영 **영업** 이경희 정병철
출판등록 2000년 5월 6일 제10-1965호
주소 (우 413-120) 경기도 파주시 회동길 201(문발동)
대표전화 031-955-2100 **팩스** 031-955-2151 **이메일** book21@book21.co.kr
홈페이지 www.book21.com
21세기북스 트위터 @21cbook **블로그** b.book21.com

ISBN 978-89-509-3829-1 03320
책값은 뒤표지에 있습니다.